W9-CDW-982

Los partidos políticos

Torcuato S. Di Tella

Los partidos políticos

Teoría y análisis comparativo

aZ editora

Foto de tapa: Paolo Uccello, *La batalla de San Romano* (detalle)

Paraguay 2351 (1121)
Buenos Aires, Argentina.
Teléfono 961-4036 y líneas rotativas.
Fax: 961-0089

Libro de edición argentina.
Hecho el depósito de la ley 11.723.

ISBN: 950-534-542-9

Índice general

Introducción, 9

1. LOS PARTIDOS POLÍTICOS: ESOS MALES TAN NECESARIOS, 13

La democracia como equilibrio de fuerzas, 16
Bases del conflicto político y el rol de los partidos, 21
Aspectos de la estructura social latinoamericana que moldean su sistema político partidario, 27
Autoritarismo consensual *versus* empate social, 30

2. SISTEMAS DE PARTIDOS EN AMÉRICA LATINA, 33

El caso chileno o la reproducción del modelo europeo, 33
Brasil o la eterna transmutación de los partidos, 35
La Argentina o el enigma del populismo, 42
Perú o el final de un régimen militar *progresista*, 45
Transiciones y turbulencias en Colombia y en Venezuela, 48
Otras transiciones sudamericanas, 51
México o el partido dominante cuestionado, 55
Cuba o el partido único sin alternativa, 58
La bipolaridad como tendencia de un sistema político democrático consolidado, 60

3. RAÍCES Y TRANSFORMACIONES DEL POPULISMO, 63

El concepto de populismo, 63
La formación de elites en países de la periferia, 71
Partidos de integración policlasista, 73
Partidos *apristas*, 75
Nasserismo, 76
Partidos socialrevolucionarios o *fidelistas*, 77
Yrigoyenismo, 79
Partidos *peronistas*, 80

4. PARTIDOS POLÍTICOS Y TRANSICIÓN DEMOCRÁTICA EN EUROPA ORIENTAL, 85

Etnia, nacionalidad, religión y clase social como bases del conflicto político, 85
Polonia y Checoeslovaquia: un contraste de estructuras sociales, 86
Polonia, una nación "problema", 93

Aspectos organizativos y estructura interna
de Solidaridad, 95
Un espectro recorre Europa o el temor a terminar
como Ceausescu, 98
Los Balcanes: Rumania en el espejo mexicano, 101
Bulgaria: ¿una repetición del fenómeno rumano?, 103
La transición en Checoeslovaquia y en Hungría, 107
Jaruzelski, el Onganía polaco, 111
Los países de la ex Yugoeslavia y Albania, 119
Partidos y democracia en el Este europeo: un balance provisorio, 125

5. ORÍGENES HISTÓRICOS DEL CORPORATIVISMO ARGENTINO:
EL ROL DE LA INMIGRACIÓN MASIVA, 127

La posición de los extranjeros en el espacio social, 127
La participación política de los extranjeros, 131
Un esquema del sistema político, 134
La formación de las actitudes entre los extranjeros, 138
El sistema partidario argentino de comienzos de siglo, 142

6. ARGENTINA-BRASIL: CONTRASTES Y CONVERGENCIAS, 147

Contrastes sociales, 147
Vidas paralelas: Vargas y Perón, 154
La alianza varguista y sus mutaciones, 156
El peronismo clásico y su radicalización, 158
Transmutaciones del varguismo y del peronismo, 160
Las condiciones para la representación obrera, 162
El sindicalismo argentino, 165
Tensiones entre los sindicatos y el Partido Justicialista, 167
Brasil: Central Unica dos Trabalhadores *versus* Força Sindical, 171
El Partido dos Trabalhadores (PT): entre socialdemocracia
y populismo, 175

7. EL FUTURO DE LOS PARTIDOS POLÍTICOS EN LA ARGENTINA, 179

Las características amenazantes pero no revolucionarias
del peronismo, 179
La naturaleza *incompleta* del sistema político argentino actual, 184
Las posibilidades de fragmentación partidaria, 187
Los componentes del peronismo, 189
Una excursión futurológica, 193

Introducción

Las noticias que nos impactan todos los días no pueden menos que sacarnos de las casillas y llenarnos de nostalgia por tiempos perdidos que, supuestamente, eran mejores. Al menos, para algunos había más entusiasmo, más ideología, más lealtad partidaria. Y es una gran lástima que la voz de esas musas inquietantes no se haga sentir.

No pretendo, sin embargo, sumar aquí otra a las muchas lamentaciones por épocas más dedicadas, más creyentes, porque también eran por demás crédulas. Lo que busco es introducir de lleno, en la discusión teórica de nuestras ciencias sociales, el tema del funcionamiento de los partidos políticos, de su vinculación con la estructura social y de sus posibles mutaciones, como ya se plantea en el capítulo 1.

En América Latina, y en otras partes del mundo, como Europa Oriental, las ideologías y los partidos han tenido una vida agitada, saltando de revolución en golpe y de dictadura a transiciones de las más diversas, descriptas en los capítulos 2, 3 y 4. En el largo calvario recorrido, se han llenado de malas artes y de mañas, de heridas recibidas e infligidas. Hay que entender su historia, y evitar ponernos en jueces excesivamente duros de los esfuerzos de sus dirigentes por manejar sociedades difíciles. En la actualidad, es cada vez mayor el número de países en que se consolidan las instituciones libres, y es bueno tener en cuenta que, en algunos de la misma Europa Occidental, no hace tanto tiempo que ellas están arraigadas.

Por lo que a nosotros en esta parte del mundo concierne, una vez que hayamos terminado de discutir si somos o no dependientes y cuán genuinamente democráticos y modernizados estamos, es preciso examinar cómo podrán desempeñarse, en el nuevo ambiente institucional que hemos creado, los partidos, las asociaciones, y los dirigentes tan mal formados —por culpas propias o ajenas— en el período previo. Es muy probable que el sistema de partidos y de sus concomitantes ideologías cambie bastante en los próximos tiempos, y que los líderes que surjan sean de otro tipo, como se plantea en el capítulo 7, usando evidencias y tendencias comparativas aducidas en los dos anteriores, 5 y 6.

Los ejemplos de estas transformaciones abundan. Los mismos Estados Unidos, con un sistema constitucional tan consolidado, han tenido a lo largo de su historia varios sistemas partidarios, de manera que los investigadores hablan del "primer sistema partidario", del segundo, del tercero, y así siguiendo hasta llegar al quinto, si no pierdo la cuenta. En otra democracia muy sólida, Gran Bretaña, ha habido una importante mutación durante este siglo, al dar lugar el Partido Liberal al Laborista como principal oposición al

Conservadorismo. En mucha mayor medida, han ocurrido terremotos de este tipo en Francia, donde la crisis de la Segunda Guerra Mundial y la del acceso de Charles De Gaulle al poder barrieron con los partidos Radical y Demócrata Cristiano (Mouvement Républicain Populaire, MRP), y llevaron al país hacia un bipartidismo, con polarización moderada, pero polarización al fin, entre una Izquierda y una Derecha. En Italia, el *Pentapartito* que tan bien condujo el país en cuanto a su desarrollo económico y cultural desde la guerra, se hundió en medio de escándalos y de los efectos de la caída del Muro de Berlín, que convirtieron al Partido Comunista local, rebautizado, en un partícipe posible del poder, que hoy ejerce, aunque de manera compartida con lo que queda de los mismos democristianos, sus adversarios históricos. La escena que emerge ahí es la de una bipolaridad, como en Francia, con una Derecha muy renovada, nucleada por el tándem del empresario Silvio Berlusconi y del ex neofascista Gianfranco Fini, y una Izquierda basada en la asociación de democristianos y ex comunistas. En España, también el cambio ha implicado el robustecimiento de una Derecha moderna, que no niega algunas de sus raíces en el régimen franquista, que enfrenta a una Izquierda muy cambiada.

Estos procesos los doy por conocidos a grandes rasgos, pero los traigo aquí a cuenta para infundir la convicción de la mutabilidad del espectro partidario, actitud con la que hay que entrar en el tema principal de este libro, que es el estudio de los sistemas de partidos en América Latina y otras áreas del mundo que han tenido una agitada y, a menudo, desgraciada experiencia respecto de sus instituciones representativas.

Si alguien me pidiera que dijese en dos palabras lo que argumento en este libro, me resistiría, porque en ese caso nadie lo compraría. Si me forzaran, sin embargo, o si me lo pidieran de buena manera, diría que lo que hago es una exploración de las formas en que algunas de las principales orientaciones ideológicas —derecha, izquierda, populismo, nacionalismo— se han encarnado en partidos, y cómo pueden éstos evolucionar ante las cambiantes circunstancias económicas e institucionales. Para esto no se puede aplicar alguna teoría deductiva, que extraiga conclusiones de principios generales, sino que hay que examinar cuidadosamente la evidencia comparativa. Por eso es que el lector encontrará una abigarrada información sobre partidos y procesos políticos, e intentos de clasificarlos, necesarios como soporte del esquema intelectual que nos sirve para entender lo que pasa. Pero si quiere una indicación sobre quién es el malo —o el bueno— de la película, le diré que creo que existe una tendencia hacia la bipolarización, con la formación de un partido o alianza de derecha, y otra de izquierda, que reemplaza al populismo y a los partidos centristas hoy muy preponderantes en gran parte del continente, lo que implicará algunas turbulencias. Esto no es menudo cambio, y no sé si lo demuestro —nada se puede demostrar palmariamente en estos temas—, pero, al menos, he juntado evidencias que, a mi parecer, apuntan en esa dirección.

Algunos de los capítulos aquí incluidos han sido escritos separadamente, pero ellos son resultado de una preocupación permanente. Algunos han sido publicados, y los he retocado o refundido, a veces muy radicalmente, para dar unidad al conjunto, además de preparar varios en especial para este volumen.[1]

Esta temática es una continuación y una complementación de la que he tratado en otros dos textos, la *Sociología de los procesos políticos* (Grupo Editor Latinoamericano, 1985, reeditado por Eudeba, 1986) y una *Historia de los partidos políticos en América Latina* (Fondo de Cultura Económica, 1994). El libro es un intento de construcción teórica, que dirijo también a mis colegas, pero está escrito para que el lector general o el aspirante a político puedan entretenerse e, incluso, aprender algo con su lectura. Porque creo que los análisis más complejos, basados en una detallada y ordenada exposición de argumentos, deben expresarse usando el lenguaje de la *polis* aunque no las simplificaciones, que tanto abundan en las plazas públicas o en la pantalla que pretende reemplazarlas.

Torcuato S. Di Tella
Buenos Aires, octubre de 1998

[1] Los trabajos publicados incluidos, con alteraciones, en este volumen son los siguientes:
"The Transformations of Populism in Latin America", *Journal of International Cooperation Studies* (Kobe) 5, 1 (1997), no publicado en castellano, base del capítulo 3.

"Populism into the Twenty-First Century", *Government and Opposition* (Londres) 32, 2 (1997), no publicado en castellano, usado en parte para el mismo capítulo 3.

"Partidos políticos y transición democrática en Europa Oriental: una perspectiva latinoamericana", *Documento de Trabajo Nº 2,* Instituto del Servicio Exterior de la Nación, Buenos Aires, 1994, base del capítulo 4.

"El impacto inmigratorio sobre el sistema político argentino", *Estudios Migratorios Latinoamericanos* (Buenos Aires) 4, 12 (1989), base del capítulo 5.

"Evolution and Prospects of the Argentine Party System", en un libro compilado por Joseph Tulchin, *Argentina: The Challenges of Modernization,* Wilmington, Delaware, SR Books, 1998, no publicado en castellano, base del capítulo 7.

1

Los partidos políticos: esos males tan necesarios

En gran parte del mundo y, por lo que a nosotros concierne, sobre todo en la Argentina de fines del siglo XX, los partidos políticos no están pasando exactamente por una etapa de particular prestigio. Pero si damos una mirada a lo que pasa, o pasaba, en lugares donde ellos no existen, tenemos que retroceder horrorizados, cosa que no todos hacen, porque siempre es posible, y gratificante, alimentar utopías. Una de ellas es la del rey filósofo, de antigua alcurnia desde que la inventó, o al menos difundió, Platón. Más recientemente —hasta ayer nomás—, la creencia en el partido único, que implica la ausencia de partidos, estaba muy generalizada, pero la explosión de la Unión Soviética demostró lo que se escondía tras esa fachada. Además, una lectura cuidadosa de los diarios no tardará en convencernos de que el problema no está en los partidos, sino en muchos otros lugares, o sea, en la sociedad en general.

En ambientes ilustrados, es cosa corriente, desde hace mucho tiempo, considerar a las asociaciones intermedias entre el Estado y el individuo como la garantía de las libertades públicas y base de la democracia. Este enfoque se opone tanto al autoritarismo de derecha como al populismo, y se diferencia de las líneas duras del marxismo, para las cuales, una vez destruido el capitalismo, el resto vendría por añadidura. A esta especie de sentido común se le agregarían luego, para quienes estudiaban ciencias sociales, toda una serie de enfoques teóricos o comparativos, y era imposible no tropezar con aquella impactante frase de Alexis de Tocqueville, para quien si un pueblo "va a permanecer civilizado, o llegar a serlo, el arte de asociarse debe crecer y mejorar en la misma medida en que se hace más notoria la igualdad de las condiciones".[1]

Las críticas a este enfoque han arreciado desde un nuevo e insospechado ángulo, el del pensamiento neoliberal, que desconfía de cualquier cosa que trabe el funcionamiento del libre mercado. Es así que Mancur Olson,

1 Alexis de Tocqueville, *Democracy in America,* 2 vols., New York, Vintage Books, 1961, vol. 2, pág. 118.

en una influyente obra, nos dice que la principal causa de decadencia de ciertos países occidentales es la proliferación de asociaciones que defienden sus intereses.[2] En realidad, ya antes uno podría haber sospechado que las asociaciones pueden llegar a tener objetivos aviesos, como afirmaba Adam Smith, para quien "gente del mismo ramo raramente se junta, aunque sea para diversión, sin que la conversación termine en una confabulación contra el público, o en un acuerdo para aumentar los precios".[3] En consecuencia, el mismo autor veía con desconfianza las actitudes de los comerciantes e industriales, cuyas propuestas legislativas debían ser examinadas con la máxima cautela, pues, en general, "tienen interés en engañar y aun oprimir al público" mediante sus "artimañas y su rapacidad".[4] Y sin embargo, sus actividades eran la base de una economía dinámica y de una sociedad libre, que no tenía más remedio que aguantar sus excesos, aun cuando éstos luego se compensaran por los efectos de la competencia. Es más, Adam Smith, llevado quizás por el deseo de escandalizar a sus lectores más acomodados, llegó a decir que "las leyes y el gobierno pueden ser considerados como una confabulación [*combination*] de los ricos para oprimir a los pobres, y preservar para sí la desigualdad de bienes, que, de lo contrario, sería pronto destruida por los ataques de los pobres, quienes, si no fueran controlados por el gobierno, pronto reducirían a los otros a la igualdad mediante la violencia".[5]

Uno está más acostumbrado a leer este tipo de cosas en los escritos de Karl Marx, quien, seguramente, extraía conclusiones distintas del mismo hecho, porque pensaba que la cosa podía cambiarse, mientras que el moralista escocés la tomaba como un hecho, un *fact of life.* Es que si Marx pensaba que el hombre es básicamente bueno, Adam Smith sabía que el hombre —y también la mujer— es malo, movido por sentimientos tales como "el interés, la emoción, el prejuicio, el orgullo, la ambición, el resentimiento, el temor, el terror, el entusiasmo y la rabia".[6] Con este tipo de materiales es

2 Mancur Olson, *The Rise and Decline of Nations,* New Haven, Yale University Press, 1982.

3 Adam Smith, *Wealth of Nations,* 2 vols., Londres, J. M. Dent and Sons, 1934, vol. 1, pág. 117. Aquí el autor usa el término "trade", que puede referirse a empresarios o a trabajadores asalariados. Por el contexto, se deduce que piensa más bien en artesanos, que manejan "precios" de sus mercaderías, aunque también puede referirse a trabajadores asalariados, y por cierto, a empresarios de más calibre.

4 Donald Winch, *Adam Smith's Politics,* Cambridge, Cambridge University Press, 1979, pág. 140.

5 Adam Smith, *Lectures on Jurisprudence* (1762-1763), citado por Winch, *Adam Smith's Politics,* pág. 58.

6 Donald Winch, *Adam Smith's Politics,* págs. 168-169.

que había que construir una sociedad medianamente potable, que es lo máximo a que se puede aspirar.

Hacia la misma época, Montesquieu planteaba su célebre tricotomía de gobiernos despóticos, monárquicos y republicanos, sosteniendo que un régimen republicano descansa sobre la "virtud" de sus ciudadanos, a diferencia de los otros, que se basan en el temor o el sentimiento del honor. Este planteo, que muchos politólogos han tomado en serio, debe de haber sido escrito por el pensador francés como un guiño a sus lectores para dejar entender que un gobierno republicano era imposible de sostener, incluso en las pequeñas ciudades a las que se suponía aplicable.

Porque, efectivamente, si vamos a creer que un gobierno republicano, para funcionar bien, necesita que sus ciudadanos sean virtuosos (aunque no fuera necesariamente todos, pero digamos una mayoría), entonces las perspectivas son realmente negras. La virtud ayuda, no hay duda, pero más ayuda un sistema legal y policial que ponga tras las rejas a quienes se exceden en no ser virtuosos.

Al enfoque un poco iluso de la virtud ciudadana se contrapone el del equilibrio de poderes, cada uno de ellos no muy virtuoso, ni siquiera demasiado democrático en su organización interna. El mismo Montesquieu, cuando analizaba el sistema que él llamaba "monárquico", tomando como modelo el inglés, insistía en que las libertades se basaban en una división de poderes, y que cada uno de ellos actuaba sin mucha consideración por el bien público, que más bien sería un emergente del régimen. No se refería principalmente, como luego se lo interpretó, a la división entre ejecutivo, legislativo y judicial (aunque también eso le preocupaba), sino a la más fundamental entre ricos y pobres. *Pobres*, claro está, desde la perspectiva de un aristócrata del siglo XVIII, pero podemos extrapolar sus consideraciones a una sociedad más abarcadora, y a un régimen que, en vez de monárquico, sea republicano pero del tipo *gobierno mixto*, que ya Aristóteles había ensalzado como el mejor, y que es el que hoy impera en las democracias de los países industrialmente avanzados.

Para Montesquieu, en una sociedad libre, los privilegios son "odiosos en sí mismos y en peligro continuo", por lo cual pensaba que había que contraponer a la Cámara de los Comunes otra en que los sectores dominantes tuvieran una representación especial.[7] Hoy día esta manera de asegurar los derechos de las clases propietarias no es aceptable, pero se ve reemplazada por una compleja estructura que va desde los Senados y las Academias has-

[7] Véase el capítulo 6 del libro 11 de *L'Esprit des lois*, Paris, Garnier, vol. 1, págs. 163-174.

ta las empresas multinacionales, con sus extensiones en la prensa escrita, oral y visual, que son el equivalente, en términos de poder real, de una Cámara de los Pares.

En otras palabras: la democracia realmente existente no se basa en el principio "un hombre o una mujer, un voto", sino que es un equilibrio entre poderes de hecho, cada uno de los cuales no tiene la más mínima intención de propender al bien común. El bien común será, en el mejor de los casos, resultado de la lucha entre una "pecaminosa Gran Empresa Privada [...], controlada por un igualmente pecaminoso Gran Sector Público", como pensaban hace décadas los Progresistas y los New Dealers norteamericanos.[8] Claro está que esta visión *elitista* de la democracia ha sido criticada por gente muy bien intencionada, y es así que, a veces, hay que oír a conferenciantes que sostienen que hay dos tipos de democracia, la representativa (o peor aún, delegativa) y la participativa (nadie se anima ahora a hablar de *directa*, ni siquiera en los cantones suizos).[9]

La democracia como equilibrio de fuerzas

En realidad, la percepción de que la democracia es un equilibrio de *fuerzas*, no un simple y constante recuento de voluntades individuales, cada una con igual peso, es parte del sentido común. La estructura piramidal y jerárquica de cualquier organización humana, sobre todo, las de gran escala, es igualmente obvia. Los casos de asociaciones que, bajo formas o ideologías democráticas de hecho, asumen una realidad burocrática o autoritaria podrían proliferar hasta el infinito, y no quiero cansar al lector ni ofender a nadie con un listado.

Por otra parte, los *lobbies* son omnipresentes, tanto entre grupos empresarios como entre profesionales. Paul Krugman, un destacado economista bastante adepto a algunas fórmulas neoliberales, al analizar la seria crisis económica del sistema de salud norteamericano, se queja de que los médicos han inventado demasiados remedios y técnicas para prolongar la vida.

[8] David Brion Davis, "Southern Comfort", *New York Review of Books*, 5/10/95.

[9] Para una revisión de los argumentos de quienes critican a la "democracia elitista", véase Lawrence B. Joseph, "Democratic Revisionism Revisited", *American Journal of Political Science* 25:1, febrero 1981; y John F. Manley, "Neo Pluralism: A Class Analysis of Pluralism I and Pluralism II", *The American Political Science Review* 77:2, junio 1983. Una respuesta que arguye que las utopías son útiles, siempre que no se trate de aplicarlas con excesivo entusiasmo, en Marshall Wolfe, "La participación: una visión desde arriba", *Revista de la Cepal* Nº 23, agosto de 1984.

El resultado es que los tratamientos son carísimos, y los sistemas de seguros se hacen también más caros, de manera que sectores cada vez mayores de la población quedan afuera, por no poder enfrentar sus costos. Además, los que se tratan *al máximo* llegan en estado calamitoso, aunque vivos, a una edad provecta, lo cual no es necesariamente una cosa buena. Krugman, en una incursión en un tema erizado de espinas, dice que la única forma de parar este abuso es que alguien pueda decir "basta", deje morir en paz al paciente. Al parecer, tanto en Europa como en el Japón, esto se hace, en parte por la existencia de la medicina socializada, en la que el pagador último, el Estado, sopesa las demandas de cada uno. Bajo el régimen norteamericano, tan competitivo, "nadie puede decir no", o no se siente con derecho a hacerlo.

Uno de los motivos de esto es que, "aunque hay muchos médicos en este país, hay aún más abogados" dispuestos a iniciar juicios por mala práctica a la menor provocación. Los médicos, por otra parte, se resisten a dejar de usar las técnicas más avanzadas, independientemente de su costo o de sus efectos sobre la calidad de vida del paciente que sobrevive. Así, "atenaceado entre la rapacidad de los abogados y la ética [profesional] de los médicos, el mercado del cuidado de la salud se encuentra incapacitado para controlar sus costos".[10]

¿Será que estamos en presencia de una más de las tantas "confabulaciones contra el interés común" de las que tanto se lee en la literatura económica más en boga? Sin embargo, un análisis del funcionamiento de cualquier democracia moderna documenta el predominio de instituciones profesionales, de tipo técnico, empresarial, o sindical, que se reparten el poder entre ellas.[11] Ésta es la base del sistema social y político de los países más avanzados del globo, y no se puede decir que les haya ido tan mal desde la posguerra. Si a alguno de ellos le ha ido mal, o ha tenido tropezones y retrocesos, no es realista pensar que sea sólo o principalmente por la aplicación de un régimen de bloques internos de poder, que se equilibran, aproximadamente y en el largo plazo, por una gran cantidad de factores. Lo que hay que examinar es cómo actúan las asociaciones en diversos contextos sociales.

[10] Paul Krugman, *The Age of Diminished Expectations,* Cambridge, Mass., MIT Press, 1995, págs. 76-78.

[11] Suzanne Berger, comp., *Organizing Interests in Western Europe: Pluralism, Corporatism and the Transformation of Politics,* Cambridge, Cambridge Univerity Press, 1981; Gerhard Lehmbruch y Philippe Schmitter, comps, *Patterns of Corporatist Policy Making,* Sage Modern Politics Series, vol. 7, Beverly Hills, Sage, 1982; Philippe Schmitter y Gerhard Lehmbruch, comps., *Trends Toward Corporatist Intermediation,* Londres, Sage, 1979.

Es preciso, entonces, estudiar concretamente los casos de mala aplicación del llamado pluralismo neocorporativo, los excesos de algunos de sus componentes, la mala administración, la debilidad del sistema de partidos, la inseguridad generalizada, tanto para las personas como para el capital, etcétera. Lo que se impone como evidente es que no hay una variable única que sea suficiente para explicar un proceso. Su rol puede, incluso, ser opuesto en casos distintos, como el del proteccionismo, que operó resultados muy diversos en las industrializaciones tempranas de los Estados Unidos, Alemania, Japón, o América Latina, por la simple razón de que se combinó con otros factores.

Que los abogados sean *rapaces* es perfectamente legítimo, incluso loable, pues ese tipo de instintos *animales* (en inglés, suena mejor: *animal spirits*) son la base de la competitividad que hace que todos seamos más eficientes. Pero la rapacidad los lleva a agremiarse, a reunirse y tener conversaciones que, como Adam Smith preveía, no pueden menos que derivar en un aumento de honorarios. ¿Es eso bueno o malo? Quizás sea malo, pero también inevitable, y sobre todo, muy difícil de impedir en un régimen democrático.

¿Qué hacer entonces? Porque si los abogados se asocian, los médicos, impulsados por su ética, o quizás también por el muy comprensible deseo de mantener un cierto nivel de vida, también se asocian, y los efectos los ve cualquiera que tenga que atenderse sin estar cubierto por un seguro de salud. ¿Habrá que desregular esa profesión? Es cuestión de proponérselo a algún político, a ver qué sucede.

Ante esta proliferación de grupos de presión, es tentador pensar en un poder autoritario que corte el nudo gordiano de una vez por todas. En realidad un Estado fuerte es muy conveniente para un desarrollo económico, y no sólo para salir del subdesarrollo. Pero Estado fuerte no es lo mismo que Estado autoritario: se trata de dos variables que no siempre van juntas. Los actuales Estados de Alemania y del Japón son fuertes, pero democráticos. Su secreto está en la negociación permanente, cuyos resultados dependen de multitud de factores, entre ellos, actitudes y valores heredados de generaciones anteriores, o basados en una lectura de la historia reciente propia o ajena, y todos cambiables o ajustables mediante el aprendizaje colectivo.

En la actualidad, se observa que de los tres grandes sistemas económico-políticos dominantes, el norteamericano es el más *liberal*, y eso que los *lobbies* están muy activos tanto en el poder legislativo como en el ejecutivo, y, sin duda, en el judicial. En el sistema europeo, los controles gubernamentales son mucho más intensos, y lo mismo ocurre con las presiones que generan los *lobbies* y las asociaciones profesionales. Estas últimas, especialmente los sindicatos, y también los partidos populares, son mucho más fuertes que en el caso norteamericano. ¿Deberá pensarse, entonces, que Europa está condenada a la parálisis, a la "euroesclerosis" de que algunos hablan? Esto no parece ser el caso, aunque se pueden citar cientos de interferencias de los grupos de interés sobre el proceso productivo, algunas de las cuales, seguramente, tendrán efectos negativos sobre el bienestar general. Quizás una de ellas sea que la fuerza del sindicalismo y de la legislación social impide la rebaja excesiva de los salarios y, por lo tanto —a igualdad de otras condiciones—, aumenta el desempleo. Pero las "otras condiciones" no siempre son iguales y, por otro lado, no parece que, exhortaciones aparte, los europeos estén dispuestos a reducir los beneficios de su Estado de Bienestar Social a los niveles que la teoría neoliberal exigiría para darles un certificado de buena conducta. En cuanto al Japón, la situación se parece más a la europea que a la norteamericana, o más bien la supera, pues las barreras a la libre circulación de los factores son aun mayores.

De todos modos, la problemática social que encara un país en desarrollo es vastamente más amplia que la meramente económica, y no se puede pensar que la liberación de las fuerzas del mercado va a dar siempre resultados positivos. De hecho, los grupos de presión están aquí para quedarse, o mejor dicho, siempre existieron, aun antes de que se les diera ese nombre. Lo que se precisa es desarrollar una convivencia entre ellos, para sentar las bases del pluralismo político.

La tarea de los sociólogos y politólogos es la de estudiar las condiciones en las cuales la competencia —si se quiere usar esa palabra— entre grupos de interés o de presión puede llevar a una esclerosis, o por el contrario, a un fortalecimiento del tejido social, de la solidaridad, y de la calidad de vida. Así, es argumentable que, en Gran Bretaña, el poder de los sindicatos y, sobre todo, las actitudes dominantes de muchos de sus dirigentes y activistas fueron, durante los años sesenta y setenta, en parte responsables de la decadencia industrial del país (la que, sin duda, tiene muchas otras causas, entre ellas, la herencia de un imperio perdido). En otro contexto social, como el de Alemania, los sindicatos han sido posiblemente más poderosos que en Gran Bretaña, y han contado con una legislación que les ha dado injerencia en el manejo de las empresas, sobre la base de la codeterminación. Sin embargo, ese poder no se reflejó en decadencia industrial, y si Alemania enfrenta hoy problemas económicos, ellos tienen otra fuente. Hay quienes señalan como factor negativo la resistencia de la población trabajadora a reducir sus ingresos a valores medios internacionales. Pero más problemas tendría Alemania si su población trabajadora realmente llegara a esos niveles.

En una sociedad con libertades públicas, el equilibrio de poderes es la base no sólo de la política, sino también de la economía. De hecho, toda sociedad democrática —y aun muchas no del todo o para nada democráticas— es un conjunto de grupos de interés que se mantienen más o menos en jaque mutuo. Básicamente, se trata de los ricos contra los pobres, el resto es detalle, detalle a veces sangriento cuando entran en juego las etnias o la religión, pero detalle al fin.

Aunque una de las actuales modas sociológicas sostiene que la contraposición de clases es cosa del pasado, y que hoy ya no hay diferencias de ese tipo entre los partidos políticos, la realidad es que esa conexión persiste, aunque ella no es, ni nunca fue, completa. En otras palabras, sigue habiendo una fuerte asociación, en los países económica y culturalmente avanzados, entre la estructura neocorporativa de los intereses y la estructura de los partidos. Esto no es exactamente la lucha de clases como la visualizaba Karl Marx, pero es, sin duda, un conflicto con importantes dimensiones clasistas. Dentro de límites razonables, y con una opinión pública medianamente alerta, la ligazón entre los intereses sectoriales y el sistema partidario y representativo es legítima y ética. Es ella, y no la anónima interacción de millones de individuos aislados, la que constituye la base del funcionamiento democrático.[12]

Así como la teoría económica ha llegado al concepto de mercado como institución que compatibiliza los actos egoístas de los productores, la teoría sociológica ha desarrollado el concepto de pluralismo como expresión del equilibrio ya no entre individuos, sino entre grupos asociativos del más diverso tipo, dispuestos cada uno a sacar la mayor tajada posible. Esa lucha puede terminar —a menudo ha terminado— en violencias civiles, dictaduras hobbesianas, o parálisis por *empate social* no legitimizado. Pero también puede producir un tipo de convivencia que permite alcanzar un grado de civilización mayor, como el que se ha dado en la parte más próspera del mundo desde la última posguerra.

De la misma manera en que la búsqueda de la ganancia por millones de agentes individuales, en un mercado competitivo, produce a menudo un resultado favorable al bienestar general, sin que nadie se lo proponga, tam-

[12] Véase, para diversos enfoques acerca de este problema, Claus Offe, *Ingovernabilità e mutamento delle democrazie,* Bologna, Il Mulino, 1982; del mismo autor, con Helmut Wiesenthal, "Two Logics of Collective Action: Theoretical Notes on Social Class and Organizational Form", en Maurice Zeitlin, comp., *Political Power and Social Theory,* vol. 1, Greenwich, Conn., JAI Press, 1980; P. Bachrach, "Interests, Participation and Democratic Theory", en J. R. Pennock y J. W. Chapman, orgs., *Participation and Politics,* New York, Everton Press, 1975; e I. Balbus, "The Concept of Interest in Pluralist and Marxian Analysis", *Politics and Society,* 1971, vol. 1, págs. 151-177.

bién puede ocurrir lo mismo con la lucha entre asociaciones y grupos de presión. En este proceso, el intento de los sectores populares de proteger su nivel de vida mediante intervenciones que signifiquen distorsionar las fuerzas del mercado es un comportamiento tan egoísta, y por lo tanto legítimo, como el del empresario que aprovecha las oportunidades de comprar barato y vender caro, o *vota con los pies* cuando lo molestan.

En los países de más alto desarrollo, este conflicto de intereses se ha legitimado, pero sólo después de serias luchas. Al no poder liquidarse mutuamente, los contendientes llegaron a acuerdos de no agredirse demasiado, y ésa es la *paz social* que, a grandes rasgos, ha reinado en Europa, Estados Unidos y Japón por décadas después de la Segunda Guerra Mundial. Es preciso no exagerar esa paz social, que coexistía con guerras coloniales, conflictos en la periferia, y zonas de violencia y de miseria en los propios países centrales. Pero juzgada con criterios comparativos e históricos, fue una época de gran prosperidad, que sirvió de cimiento al Estado de Bienestar Social.

Bases del conflicto político y el rol de los partidos

Uno de los principales problemas que debe enfrentar un régimen democrático es el de la integración de los sectores más carenciados dentro del sistema político, y bien se puede decir que ése es el reto que ha enfrentado nuestro continente en las últimas décadas, aunque de manera distinta en cada país.

Durante las etapas más tempranas del desarrollo industrial las clases populares tienden a asumir actitudes violentas y sumamente opuestas al orden establecido. Esto ha cambiado en las sociedades industriales modernas, debido a que el desarrollo económico ha generado numerosos estratos medios y, además, las clases altas han podido cooptar a la mayoría de las clases medias, y a un no despreciable grupo más abajo en la escala social, los *working class tories*. Esta aritmética, claro está, se expresa a través de los partidos políticos.[13]

¿Pero son los partidos políticos realmente tan necesarios? ¿No se podría tener elecciones sin políticos profesionales? ¿Dirigir, por ejemplo, los asuntos públicos a través de reuniones de ciudadanos preocupados por determi-

[13] Para una revisión de las teorías acerca de las bases sociales del apoyo partidario, ver R. J. Johnston, "Lipset and Rokkan Revisited: Electoral Cleavages, Electoral Geography and Electoral Strategy in Great Britain", en R. J. Johnston, F. M. Shelley y P. J. Taylor,

nados temas, resolviéndolos a medida que se plantearan, quizás eligiendo representantes pero sobre la base de sus méritos personales, bajo la inspiración de estadistas, y no de redes partidarias?

Estas fantasías, tan comunes, explícitamente expresadas o no, cada vez que se desencadena una crisis parlamentaria o un escándalo de corrupción, no son nada nuevo, y no hay que alarmarse ante su difusión ocasional. Nada menos que George Washington se acercaba a esa actitud, cuando en su *Farewell Address* (1796) advertía a sus conciudadanos que se cuidaran de los partidos, a los que veía como cábalas o complots destinados a promover intereses sectoriales, en contra del bien común. Los autores de los *Federalist Papers* también desconfiaban de los partidos, aun cuando los consideraban inevitables en una sociedad libre. En el mismo espíritu, los redactores de la Constitución norteamericana establecieron un sistema de equilibrio de poderes (*checks and balances*) diseñado para evitar que una facción dada pudiera fácilmente controlar todas las palancas del gobierno. Pensaban que la ventaja de una república de gran extensión era que, en sus varias partes, habría intereses muy distintos, y se generaría un entrecruzamiento tal que sería imposible armar, de forma duradera, una mayoría dominante.

En esa época, el principal ejemplo de una sociedad libre era Gran Bretaña, que estaba dominada por los partidos, o más aún, por las facciones. La mayor parte de los contemporáneos consideraba que esos grupos tenían una natural tendencia a volverse antisociales en procura de imponer sus intereses. La trágica experiencia del siglo XVII estaba ahí, para añadir nuevas evidencias a las que se podían extraer de la Antigüedad clásica y de las ciudades estado italianas. Si ahora las numerosas facciones *whigs* y *tories* eran menos violentas, ello se debía a que la corrupción había reemplazado a la convicción, y una despiadada lucha por pedazos del poder estaba creando las condiciones para la decadencia nacional, no menos grave que las luchas armadas de una generación anterior. William Hogarth, el popular pintor y grabador inglés, imaginó en una de sus más impresionantes composiciones —que seguramente reflejaba sentimientos muy difundidos—, el "fuego de las facciones" como un monstruo que devoraba a una ciudadanía impotente.

comps., *Developments in Electoral Geography,* Londres, Routledge, 1990; Seymour Martin Lipset, "The Significance of the 1992 Election", *PS: Political Science and Politics* 26, 1 (1993); David Croteau, *Politics and the Class Divide: Working People and the Middle Class Left,* Philadelphia, Temple University Press, 1995; Michael Hout, Clem Brooks y Jeff Manza, "The Democratic Class Struggle in the United States, 1948-1992", *American Sociological Review* 60, 6 (1995); para el impacto de los problemas étnicos sobre el voto en los Estados Unidos, Thomas Byrne Edsall, con Mary D. Edsall, *Chain Reaction: The Impact of Race, Rights and Taxes on American Politics,* New York, Norton, 1991.

Los escritores clásicos no le habían dado lugar a los partidos, o apenas los habían mencionado de pasada, como males inevitables en el mejor de los casos. Bolingbroke, el amigo *tory* de los enciclopedistas, pensaba que era mejor concentrar las esperanzas en un *rey patriota* que pudiera imponérsele al sistema político, si fuera necesario, con un partido para terminar con todos los partidos, apoyado en los ciudadanos honestos en contra de los facciosos. Pero a esta utopía, Edmund Burke no tardó en responder señalando los peligros de una alianza entre el rey y el pueblo, que podría terminar en la supresión de las libertades públicas. Así, pues, argumentaba, si queréis libertad, debéis tener partidos, facciones por cierto, si las queréis llamar así.

Burke no se hacía ilusiones: para gobernar con eficacia, los hombres deben asociarse, formar lo que él llamaba "connexions", y emplear los medios para promoverse que son intrínsecos a la naturaleza humana y, por lo tanto, a la política. Primero definió de manera algo idealista a un partido político como "un grupo de gente unida para promover a través de su acción conjunta el interés nacional, según algún principio particular en el que concuerdan". Pero estaba consciente de que, en la práctica, una amplia gama de medios debía ser usada para promover esos fines. Un hombre político que por pruritos éticos rechazara usarlos sería culpable, aunque fuera por omisión, pues "frustraría los propósitos de la confianza que se le ha otorgado, casi tanto como si formalmente la hubiera traicionado".[14] Que gente de ideas semejantes se junte para promover lo que consideran ser los intereses nacionales, según la formulación de Burke, no es tan fácil como parece. A menudo, el uso y abuso de las "connexions" degenera en una sórdida lucha por posiciones, difícil de apreciar por parte del hombre común, que entonces oscila de una ilusión a otra, de un vendedor de panaceas a otro, hasta que termina por mandar todo al diablo. Por otra parte, la complejidad de los temas es tal —se argumenta a menudo— y la superioridad de recursos y conocimientos por parte de las elites es tan decidida, que el hombre común difícilmente puede entender la esencia de los asuntos públicos.

Esta desilusión acerca del sistema realmente existente de partidos no es sólo una característica de los públicos de masa. Ha sido compartida también por amplios sectores de la *intelligentsia*. A algunos de los casos ya vistos podemos agregar el de Francia, donde después de la derrota en la guerra de 1870 y de la sangrienta represión de la Comuna el descreimiento acerca de la representación política se hizo muy extendido. Esto fue así especialmente

[14] Edmund Burke, *Thoughts on the Cause of the Present Discontents* (1770), en *The Works of Edmund Burke,* 8 vols., Londres, Bohm's Standard Library, 1901-1902, vol. 1, págs. 373-375.

después de que los primeros años de funcionamiento del sistema parlamentario mostraron la dificultad de formar un gobierno estable, en condiciones de divisionismo partidario y un ejecutivo débil. Crecieron así movimientos populares, como el boulangismo, y se formaron minorías activistas de izquierda o de derecha, desde el sindicalismo revolucionario hasta las que tenían a Charles Maurras como inspirador.

Los más ecuánimes pensadores políticos también sintieron las distorsiones creadas en una sociedad de masas donde no existía mucha conexión directa entre electores y elegidos. Emile Durkheim, el conocido sociólogo francés, de orientación radical-socialista, preparó un prefacio especial para la segunda edición de su *División del trabajo* (1902). Afirmaba en él que era necesario construir instituciones intermedias entre el Estado y el individuo, capaces de crear lealtades y vínculos, de manera de reproducir, en una sociedad industrial y altamente urbana, los lazos típicos del mundo de la aldea, del artesanado, y de la empresa familiar. Esas instituciones serían las corporaciones, de empresarios y de asalariados, que se transformarían en los principales órganos representativos, reemplazando a las existentes unidades geográficas. Durkheim no reservaba mucho lugar, en su esquema, para los partidos políticos, que prácticamente nunca menciona, aunque es posible que no los hubiera prohibido.[15]

La idea corporativa fue tomada por los teóricos fascistas como alternativa a la democracia liberal, aunque nunca fue realmente aplicada, pues bajo una dictadura, no podía haber representación genuina de ningún tipo. La asociación histórica entre el corporativismo y el fascismo no debe llevarnos, entonces, a confundirlos. El corporativismo tiene sus orígenes no sólo en el pensamiento católico medieval, sino en planteos liberales o socialistas, como resulta del texto de Durkheim. John Stuart Mill también proponía una reorganización de hecho corporativa de la Cámara de los Pares, limitando el número de miembros hereditarios, e incluyendo a los más destacados personajes del mundo de la producción, la cultura y las profesiones. Lo mismo hacía Herbert Spencer, en sus voluminosos escritos, donde es difícil encontrar referencias a partidos políticos o a elecciones.[16]

En los países de la periferia, la falta de ajuste entre los partidos políticos y los sentimientos populares es más evidente. América Latina, sobre todo, y también Europa Oriental tienen una larga experiencia de partidos semicom-

[15] Emile Durkheim, *La división del trabajo social,* Madrid, Akal, 1982.

[16] John Stuart Mill, *Representative Government,* pág. 442; Herbert Spencer, *Principles of Sociology,* 3 vols., New York, Appleton, 1902-1905, vol. 2, págs. 648-656.

petitivos y de elecciones semilibres. Ellas son las áreas de la periferia más ligadas a los sucesos de los países centrales de Occidente, debido a los lazos culturales que mantienen con ellos, y al hecho de haber sido, por mucho tiempo, independientes, en contraposición con la mayor parte de Asia y África.

En la primera parte del siglo, Laureano Vallenilla Lanz, un intelectual al servicio del dictador venezolano Juan Vicente Gómez, argumentaba contra la apresurada adopción de instituciones europeas. Esta actitud tenía antecedentes venerables en el pensamiento latinoamericano: con una perspectiva semejante, Juan Bautista Alberdi había culpado, mucho antes (1853), a la primera generación de reformistas liberales, que habían tratado de introducir innovaciones en los países recién liberados sin tomar en consideración su "carácter asiático", que hubiera exigido adaptar "las reglas del gobierno representativo inglés o [norte] americano [...] a las peculiaridades de esas tierras y esas sociedades".[17]

Por su parte, Vallenilla concluía que el inevitable dictador representaba mejor el estado de su sociedad, y por lo tanto de las masas, que un sistema constitucional. Por eso llamó a su libro más conocido *Cesarismo democrático* (1919). En este razonamiento es preciso distinguir dos afirmaciones. La primera es la de que en ciertas condiciones sociales el autoritarismo es una forma más estable y eficiente de gobierno que el régimen representativo constitucional. La segunda es que en esas mismas condiciones el autoritarismo personalista expresa mejor los sentimientos populares que un sistema competitivo de partidos. El público conservador que seguía a Vallenilla estaba particularmente interesado en la primera tesis, que justificaba una dictadura desarrollista temporaria. La segunda tesis, acerca de que ese régimen era la mejor forma de representar a los sectores populares, y por lo tanto democrático, era para consumo externo, pero de hecho encontró amplio eco, incluso por parte de quienes no conocían sus obras.[18]

En el Perú, en una generación posterior, Víctor Raúl Haya de la Torre, creador de uno de los primeros partidos de masas de la región, la Alianza Popular Revolucionaria Americana (APRA), combinó elementos del liberalismo y de la socialdemocracia con el nacionalismo popular, formando una poderosa mezcla. Aplicando la teoría marxista argumentaba que en condiciones

[17] Juan B. Alberdi, *Cartas sobre la prensa y la política militante,* pág. 62.

[18] Germán Carrera Damas, Carlos Salazar y Manuel Caballero, *El concepto de historia en Laureano Vallenilla Lanz,* Caracas, Universidad Nacional de Venezuela, Escuela de Historia, 1966.

de subdesarrollo la clase obrera no podía dirigir una transformación social, ni tampoco organizar un importante partido propio. Mucho menos podría hacerlo el campesinado. Así pues la clase media debería añadirse, como tercera pata, y asumir el liderazgo del movimiento popular. Un Estado fuerte debería controlar la economía, pero sin espantar al capital; debería entenderse con las clases dominantes, mediante un elemento corporativo introducido en la Constitución. A esto Haya lo llamaba el *Estado de los Cuatro Poderes,* en que a los tres clásicos se añadiría uno más, de naturaleza corporativa, donde estuvieran representadas las fuerzas sociales de manera "cualitativa". Pensaba que era mejor que esas corporaciones nacionales e internacionales se expresaran abiertamente en la legislatura, y no subrepticiamente entre bambalinas. Por otra parte, era necesario crear un partido bien estructurado, con militantes disciplinados, y una figura carismática a su frente, que era la única forma de liderazgo comprensible para la mayoría.[19]

En el Brasil se dio una corriente de pensamiento con líneas convergentes, de diferentes orígenes ideológicos, pero con una común preocupación por usar elementos corporativos en una sociedad libre. Desde la caída de la monarquía (1889) el gobierno había estado en manos de partidos Republicanos estaduales, que en la práctica funcionaban como partidos únicos en cada unidad federal, integrando los clanes locales y monopolizando los recursos existentes. Las elecciones, basadas como estaban en un sufragio restringido, voto abierto, y frecuente adulteración de los resultados, no podían ser consideradas como un arreglo institucional válido. Aun cuando hubiera un mayor control cívico, el prestigio de que gozaban las clases altas entre la población rural les permitiría seguir creando, por mucho tiempo, mayorías favorables.

Se podía pensar, entonces, que un Estado fuerte, dirigido por una elite dedicada, era lo que se necesitaba para sacar al país del inmovilismo. Alberto Torres fue un precursor de esta mentalidad. Muy imbuido de valores liberales, creía, sin embargo, que la estabilidad política y el crecimiento económico requerían un gobierno sólido, y que éste sólo existe donde la nación es "homogénea en sus elementos, o fuertemente subordinada a un espíritu, un proyecto, una aspiración, o una clase dominante". La principal propuesta concreta de Torres, publicada en 1914, fue una reforma constitucional que habría creado un régimen más centralizado y un Senado con fuertes elementos corporativos añadidos a los delegados estaduales, aun reteniendo la

[19] Víctor Raúl Haya de la Torre, *Treinta años de aprismo,* México, Fondo de Cultura Económica, 1956.

Cámara Baja electa por el pueblo. El presidente habría sido elegido por un Colegio especial, con muchos representantes profesionales.[20]

Basándose en estas ideas, Francisco José Oliveira Vianna, discípulo de Torres, afirmó que una aplicación de las fórmulas liberales europeas o norteamericanas podía significar sólo dos cosas: anarquía o separatismo. En contraposición a quienes llamaba "idealistas utópicos" liberales, que veían en el ejecutivo nacional una amenaza para las libertades locales, Oliveira Vianna afirmaba que eran los clanes oligárquicos locales los que más amenazaban los derechos del individuo. Así, pues, proponía un Estado central fuerte, con capacidad de intervenir activamente en las regiones, y por lo tanto apoyó al Estado Novo de Vargas en 1937, que estableció un sistema centralista y de representación corporativa, aunque nunca llegó a aplicarlo, pues gobernó de manera directamente dictatorial.[21]

Aspectos de la estructura social latinoamericana que moldean su sistema político partidario

Esta revisión de ideas sacadas tanto de la tradición internacional como de la latinoamericana nos permite concluir que la formación de una sociedad libre exige algo más que espíritu cívico por parte de gobernantes y gobernados, y la decisión de respetar las reglas del juego. Para que todo ello —que por cierto es necesario— se haga realidad, se precisa asegurarse de que las fuerzas sociales tengan expresión en el sistema constitucional. Lo complicado es que esa expresión debe darles una influencia proporcionada a su peso real, y no a sus meros números. Éste es el revés de la trama —si se quiere *no democrático*— de las democracias realmente existentes. Por otra parte, el sistema político también debe asegurar la efectividad del ejecutivo, para evitar la lucha de todos contra todos. Sin necesidad de refrendar la solución hobbesiana del poder absoluto como árbitro, la eficacia del ejecutivo es un requisito tan importante para la salud pública como la genuinidad representativa del poder legislativo. Esto es sobre todo así en etapas tempranas de desarrollo económico y político.

20 Alberto Torres, *A organizaçao nacional,* 2a. ed., Sao Paulo, Companhia Editora Nacional, 1938 (1a. ed. 1914).

21 Francisco José Oliveira Vianna, *O idealismo da Constituiçao,* 2a. ed., Sao Paulo, Companhia Editora Nacional, 1939 (1a. ed. 1927).

En América Latina, como resultado de estar ubicada en la periferia de un mundo más desarrollado, la estructura social se ve sujeta a tensiones especiales. Se las puede sintetizar de la siguiente manera:

1. *Dualismo estructural, debido a la coexistencia de áreas muy atrasadas con sectores modernizados, vinculados estos últimos a la inversión y la tecnología extranjeras.* En décadas pasadas se hizo una crítica fácil de este planteo, quizás justificada si él se hiciera de manera simplista y extrema, como si los *dos países* no tuvieran nada que ver el uno con el otro. De hecho están vinculados, pero constituyen realidades diferentes, y a menudo las instituciones legales o el sistema de partidos que funciona en uno no anda bien en el otro.[22]

2. *Niveles de urbanización y de educación que generan una cantidad de aspirantes a empleos mayor que lo que la economía puede proveer.* Esto genera la proliferación de elites contrarias al statu quo, con las más diversas ideologías, y con el efecto de debilitar a los partidos conservadores, cuyo principal electorado deberían ser las clases medias, las cuales, en buena medida, no actúan de esa manera debido al mecanismo aquí señalado.

3. *Migraciones internas intensas, así como otras formas de movilización de masas que no van acompañadas por una equivalente experiencia en la organización autónoma.* Esto crea la masa disponible para fenómenos populistas, cuya fuerza aparente y cuya potencial explosividad son mayores que su capacidad de ejercer presión permanente y controlada sobre la escena política.

4. *Concentración del poder económico en una alianza de elites extranjeras y locales que, a menudo, carecen de legitimidad, especialmente con respecto a las clases medias.* El hecho de que gran parte de la burguesía sea extranjera, o trabaje en empresas de propiedad extranjera, debilita también la circulación de elites entre la esfera de la producción y la de la política, lo que constituye otra causa de debilidad de los partidos conservadores, con ese u

[22] La tesis del dualismo estructural es una de las condenadas por Rolf Stavenhagen, "Siete tesis erróneas sobre América Latina", en Fernando H. Cardoso y Francisco Weffort, comps, *América Latina: ensayos de interpretación sociológico-política,* Santiago, Editorial Universitaria, 1970. La condena, aunque enunciada urbi et orbi, sólo es válida para versiones muy simplistas de la teoría, según las cuales las dos sociedades, la tradicional y la moderna, existirían lado a lado, sin tener ningún contacto, mientras que Stavenhagen advierte que una es explotada por la otra, y por lo tanto es esencial para su continuada existencia.

otro nombre, que existen, en cambio, con gran fuerza electoral, en casi todos los países democráticos del Primer Mundo.

5. *Inestabilidad no sólo del régimen democrático, sino también del autoritario.* Una dictadura excesivamente rigurosa o larga puede generar fuerzas rebeldes y una caída no sólo del régimen político, sino también del sistema de propiedad privada. El problema de la reforma de gobiernos autoritarios es que, si los cambios son rápidos, puede resultarles imposible crear una estructura sucesoria con suficiente fuerza y legitimidad. Si, en cambio, una facción *dura* intenta resistirse a las presiones reformistas, aumenta el aislamiento de las autoridades, y se hace imposible una transición ordenada y pacífica. Los casos de la Cuba batistiana y la Nicaragua de los Somoza son paradigmáticos.

6. *Resultados contradictorios de la actividad revolucionaria.* Una guerrilla prolongada, pero que no llega al poder puede polarizar el país, debilitando al partido reformista gobernante, volcando una mayoría del electorado hacia la extrema derecha. En El Salvador, el gobierno reformista democratacristiano de Napoleón Duarte sufrió los embates de la izquierda extraconstitucional, así como de la derecha. Finalmente, ésta, bajo Alfredo Cristiani y su Alianza Republicana Nacionalista, fue capaz de obtener una mayoría electoral y reemplazar al anterior gobierno por medios legales, enfrentando de manera más decidida a la guerrilla. En Guatemala, con una amenaza guerrillera algo menor, también el electorado se ha volcado hacia la derecha, haciendo difícil a los partidos reformistas de centro mantener su presencia en las urnas.[23]

7. *Características de los sistemas de partido dominante.* Un partido de este tipo, consolidado en una tradición revolucionaria y ayudado por la coerción marginal de sus opositores, puede ser estable y mantener su apoyo popular. El caso típico es el de México, donde el Partido Revolucionario Institucional (PRI) ha sido capaz de mantenerse en el poder desde sus inicios (con otro nombre) al finalizar la década del veinte. El gran crecimiento económico experimentado por México durante la mayor parte de este período le ha permitido cooptar a los nuevos industriales y técnicos, manteniendo su apoyo en

[23] Para la situación postinsurgencia en El Salvador, véase Fernán Cienfuegos, *Veredas de audacia: historia del FMLN,* San Salvador, Arcoiris, 1993, y el libro compilado por él mismo, *Visiones alternativas sobre la transición,* San Salvador, Sombrero Azul, 1993; y Joaquín Villalobos, *Una revolución en la izquierda para una revolución democrática,* San Salvador, Arcoiris, 1992.

la clase media, los campesinos y los trabajadores urbanos, o sea, las fuerzas revolucionarias originales. La solidez del régimen y el uso que, en general, ha hecho de sus recursos han llevado a muchos observadores a categorizarlo como *burocrático-autoritario*, a pesar de ser civil. Sin embargo, el mantenimiento, no obstante los abusos, de ciertos procesos y garantías constitucionales marca límites a esos abusos y genera fuerzas de cambio, que, por el momento, están divididas entre una de centro derecha y otra de izquierda, que incluye un sector escindido del tronco principal del PRI. En Cuba también se ha dado un fenómeno parecido, aunque la ausencia de elecciones libres no permite juzgar acerca de la popularidad del régimen, la cual, sin embargo, al menos hasta hace poco, parece haber sido bastante grande.

Autoritarismo consensual *versus* empate social

A veces se habla de la posibilidad de reproducir en América Latina un modelo japonés, o del tipo dominante en los países del sudeste asiático. En ellos, el rol del Estado, tanto en lo político como en lo económico, es muy fuerte, y ha servido como orientador de una vigorosa organización interna, muy disciplinada, autoritaria y consensual a la vez. Fue posible, de esta manera, combinar libre mercado con proteccionismo, y estímulo al capital con un cierto igualitarismo, cambiando de estrategia según las condiciones internacionales.

Hay mucho que aprender del Japón y del sudeste asiático, pero la mezcla de autoritarismo, disciplina y consenso que los caracteriza o caracterizó en el pasado es imposible de reproducir entre nosotros. Y esas estructuras sociales tradicionales, casi feudales, de rígida jerarquía y respeto hacia los estratos superiores, son una parte esencial del modelo vigente en esas latitudes. No han faltado en América Latina regímenes dictatoriales que han intentado reestructurar la sociedad a su imagen y semejanza, pero les ha faltado casi siempre el consenso social. Por eso es que han fracasado, o han demostrado tener sólo éxitos parciales, y no han podido dejar una verdadera impronta en sus sociedades.[24]

La democracia es un régimen que siempre ha sido difícil de establecer en el mundo, porque ella da fuerza a los sectores más desposeídos, que

24 Chile es el caso que más se acerca a un éxito de la dictadura, aun cuando ésta nunca tuvo el grado de consenso que alcanzó en algunos países del Sudeste asiático.

tienden a resistirse a las exigencias de la tecnoburocracia y de la acumulación de capital. Si se diera un comportamiento puramente racional de todos los interesados, posiblemente se aceptaría la necesidad de esa acumulación, y de las correlativas diferencias de ingresos. Pero no es seguro que esa actitud sea la que impere en cualquiera de los niveles de la estratificación social en que se la analice; pues el rol social que cumple la acumulación se mezcla con el privilegio que implica para sus titulares, y aunque este privilegio pueda ser funcional, el hecho de que recaiga sobre determinados individuos crea una injusticia distributiva.

En las democracias avanzadas, se da al respecto un cierto tipo de transacción, que legitima la propiedad privada y las diferencias sociales, aunque corrige algunos de sus efectos a través de leyes, impuestos, y demás medidas igualitaristas, sin llegar a matar a la gallina de los huevos de oro. En esos países, en general, existe una bipolaridad política, que incluye una derecha que ha sido capaz de cooptar a la mayoría de la clase media, y de generar un amplio consenso respecto del sistema social existente. El resultado es que se las arregla muy bien en el terreno de las urnas. Pero en América Latina y en los países de la periferia en general, estos mecanismos de cooptación y consenso no funcionan de la misma manera, lo que debilita a los partidos conservadores y hace más problemático alcanzar, en el terreno político, un equilibrio de fuerzas congruente con el de los pesos reales de los actores sociales y económicos.

Las instituciones democráticas modernas, donde funcionan con eficacia, canalizan intereses del tipo que el pensamiento clásico llamaría *aristocráticos*, o empresariales, junto con los más específicamente *democráticos* o populares. Los primeros están representados por la estructura de las grandes empresas, por las atribuciones reservadas a las organizaciones técnicas y por los partidos conservadores. Los intereses *democráticos*, en cambio, se basan en el voto universal, en los partidos populares y en las organizaciones sindicales.

Tanto unos como otros están restringidos en sus posibles abusos no sólo por la Constitución, sino por la presencia del otro hemisferio político, base del fundamental empate social existente. Ese empate social puede ser positivo, cuando se resuelve mediante el consenso, pero en ciertas condiciones, bastante usuales en América Latina, ha degenerado en un bloqueo mutuo o inmovilismo, por la poca disposición de las partes a colaborar dentro de un mínimo de reglas de juego, todo lo cual lleva al corte autoritario del nudo gordiano. El Japón y los países del Sudeste asiático, en cambio, nunca tuvieron ese tipo de empate social, y el predominio de la coalición conservadora empresaria es un hecho natural, que tiene que enfrentar muy pocos retos.

En otras palabras: América Latina posee demasiados elementos de liberalismo político, de fragmentación del poder y de presión de masas en la calle, como para seguir el modelo asiático de desarrollo; por otra parte, le faltan muchos elementos para un funcionamiento adecuado del modelo europeo o norteamericano. Para no caerse entre esas dos sillas, es preciso conocer, en algún detalle, nuestros procesos históricos, tratando de sacar algunas consecuencias generales de ellos. Sin pretender hacer una revisión completa, en el próximo capítulo se verán algunos casos típicos latinoamericanos, para refrendar y ejemplificar las afirmaciones hechas con anterioridad. Luego se hará un estudio especial de los movimientos de tipo populista, siempre concentrándose en el caso latinoamericano, para luego incorporar elementos comparativos del sistema de partidos que se está desarrollando en Europa Oriental.

2

Sistemas de partidos en América Latina

El caso chileno o la reproducción del modelo europeo

Chile constituye el principal caso en América Latina de un país donde los partidos están fuertemente enraizados, con alta estabilidad y participación, y una capacidad de expresar muy diversas ideologías. En otras palabras, tiene un sistema del tipo europeo occidental, y una ausencia casi total de experiencias populistas. La Derecha era bastante fuerte antes del golpe de Pinochet (1973), y en las elecciones de 1970 perdió contra Salvador Allende por apenas el 2% de los votos, obteniendo un sólido 35% del total. Tiene una tradición casi ininterrumpida desde el siglo pasado, canalizada a través de dos partidos, el Conservador y el Liberal, que luego se fusionaron en el Nacional.

Durante el gobierno de la Unidad Popular (1970-1973), se tenía la impresión de que la Derecha podía entrar en una enfermedad terminal, según se evidenciaba en algunas elecciones parciales; pero hacia el final de ese mismo período se recuperó. Sin embargo, durante la mayor parte del gobierno de la Unidad Popular, parecía que la Izquierda podía pasar de su histórico tercio del electorado a casi una mayoría, dejando a una Democracia Cristiana muy radicalizada como su único rival por el poder. Tan así es, que muchos observadores pensaban, en aquel entonces, que Chile enfrentaba en las urnas simplemente una alternativa entre dos formas de socialismo, la marxista y la cristiana.

Esto era un error, porque la Derecha mantenía una muy sólida presencia (aunque temporariamente disminuida), además de que la mayoría del electorado democristiano y muchos de sus dirigentes eran muy moderados. El deterioro de la fuerza electoral conservadora, y la radicalización de muchos democristianos produjeron inseguridad y sentimientos golpistas entre las clases altas y sus amigos militares.

Por otra parte, la Izquierda en Chile era escasa en estructuras moderadas. La Unidad Popular se basaba principalmente en los partidos Socialista y Comunista, con importantes bases sindicales, más la Izquierda Cristiana y sectores del Partido Radical. Pero a los sindicatos chilenos —por razones económicas y legales— les faltaba una fuerte burocracia, por lo que estaban excesivamente expuestos a la militancia de bases. En el pasado, especialmente durante el Frente Popular (vigente con intermitencias y con diversos nombres desde 1938 hasta 1948), el muy centrista Partido Radical proveía las estructuras moderadoras. Pero desde los años cincuenta los Radicales experimentaron una catastrófica declinación, y aquellos de sus fragmentos que convergieron a la Unidad Popular en 1970 eran pequeños e inseguros acerca de su estrategia, por lo que no podían ejecer el rol moderador, ni se podía esperar que él fuera ejercido por la Izquierda Cristiana. En los partidos Socialista y Comunista, existían dirigentes pragmáticos, con práctica de gobierno, pero su experiencia quedó deslegitimizada ante el deslumbramiento ocasionado por la Revolución Cubana y por el Mayo parisino de 1968.

Durante los años sesenta, el centro estuvo ocupado por los Democratacristianos, que reemplazaron a los Radicales. En 1964 ganaron la presidencia por un amplio margen, pero él se debió al apoyo que obtuvieron de la Derecha, dispuesta a tolerarlos con tal de evitar un triunfo de la Unidad Popular. Pero en 1970 no fue ya posible unir el voto antisocialista, con los resultados conocidos. Esto se debió en gran medida a la intransigencia democristiana, pues el partido no quería ser visto como “la nueva cara de la Derecha”, y quería competir con la Izquierda por los votos populares, esperando convertirse en una fuerza hegemónica de centro, absorbiendo elementos a ambos costados. Lejos de que esto ocurriera, la Democracia Cristiana quedó superada por los dos bloques masivos de la Derecha y la Izquierda, y finalmente se vio involucrada en la oposición violenta a Allende y en el apoyo a una intervención militar, que se esperaba fuera del tipo *moderador.*[1]

Durante los años de Pinochet (1973-1989) la Democracia Cristiana pronto adoptó una actitud opositora, y lo mismo hizo, aún más decididamente, la Iglesia Católica. En la Izquierda hubo angustiadas revisiones de sus pasadas estrategias, especialmente entre los Socialistas, lo que produjo una serie de divisiones en ese partido, mientras que los Comunistas permanecían más fieles a la ortodoxia. Cuando la democratización se puso de nue-

[1] Para los partidos centristas, véase Peter Snow, *El radicalismo chileno: historia y doctrina del Partido Radical,* Buenos Aires, F. de Aguirre, 1972 y George Grayson, *El Partido Demócrata Cristiano de Chile,* Buenos Aires, F. de Aguirre, 1968.

vo sobre el tapete, fueron los Socialistas, rebautizados en parte como Partido por la Democracia (PPD), quienes tomaron la iniciativa de explorar una táctica coalicionista con los Democratacristianos (formando la Concertación), y de aceptar acuerdos con aquellos miembros del gobierno militar más dispuestos a una transición ordenada. Esto implicó conceder bastantes garantías de permanencia al orden existente, tanto en lo económico como en lo militar.

La Derecha se encontró en buen estado de salud, aunque dividida en dos partidos, claramente pinochetistas, la tecnocrática Unión Democrática Independiente (UDI), de Hernán Büchi, y el más tradicional Partido de Renovación Nacional (PRN), de Onofre Jarpa. Ambos, sumados a un tercer candidato mal disfrazado de *independiente*, Jorge Errázuriz, consiguieron algo más del 40% del voto en las primeras elecciones presidenciales, o sea que mantuvieron o superaron su caudal clásico. La Derecha se benefició de la recuperación económica y heredó algo del electorado democristiano. Como el país cambió mucho durante el interludio dictatorial, ahora la nueva Derecha ya no se puede decir que se basa en un campesinado en vías de desaparición, sino más bien en las clases medias, tanto urbanas como rurales, impresionadas por los eslóganes de ley y orden. Desde entonces, ha retenido, con los inevitables altibajos, su importante presencia en las urnas.

Si la Concertación se mantiene, la tripartición clásica del electorado chileno se vería reemplazada por una bipolaridad, más afín a la experiencia europea occidental moderna. Lo más probable es que, en el campo socialista, se confirme la actitud socialdemócrata, aunque siempre habrá un sector nostálgico de las banderas del allendismo. La básica bipolaridad, entonces, englobaría a la mayor parte del electorado, dejando a su izquierda a un reducido grupo *ortodoxo* de socialistas de izquierda y comunistas, oscilando en un 10% del electorado, como en España e Italia.[2]

Brasil o la eterna transmutación de los partidos

Brasil, entre los países grandes de América Latina, es casi el caso opuesto al de Chile, en términos de estructura social y sistema de partidos.

2 Alejandro Foxley, "After Authoritarianism: Political Alternatives", en A. Foxley, M. McPherson y G. O'Donnell, comps, *Development, Democracy, and the Art of Trespassing. Essays in Honor of Albert O. Hirschman,* Notre Dame, Notre Dame University Press, 1988; Manuel Antonio Garretón, *The Chilean Political Process,* Boston, Unwin Press, 1989.

Durante los años cincuenta, casi la mitad de su población era rural o analfabeta, pero estaba involucrada en un acelerado proceso de desarrollo económico y migración a las ciudades, con la consiguiente pauta de movilidad ascendente para los antiguos residentes urbanos, en especial, en el sur y en San Pablo. Esto generó un continuo cambio en la composición de la clase obrera, dificultando la organización sindical y la persistencia de lealtades políticas. Se formaron así clientelas típicamente populistas, con gran tasa de recambio; tanto, que Vargas, a pesar de haber creado una de las principales tradiciones políticas en su país, después de su muerte no dejó un legado tan unificado como el de Perón o Haya de la Torre.[3]

La etapa de radicalización bajo el presidente João Goulart (1961-1964) tiene algún parecido con la de la Unidad Popular de Chile, aunque en un contexto social bien distinto. La situación brasileña es, en general, menos predecible que la chilena, debido a la característica proteica de sus partidos políticos, y a la presencia de una masa popular movilizada pero escasamente organizada, hecho éste que sólo recientemente está cambiando. El hecho de que esa masa haya tenido, por mucho tiempo, un nivel bajo de organización sindical o partidaria la ha hecho históricamente menos poderosa que su equivalente chilena, pero, al mismo tiempo, más volátil, más potencialmente violenta. Es así como las masas del Brasil han oscilado entre ser un gigante dormido o bien canalizarse tras líderes populistas, algunos bastante conservadores, como en el varguismo temprano, pero otros potencialmente revolucionarios, como Goulart.

La conversión de este potencial revolucionario en una realidad depende en gran parte del trabajo de las elites, lo que genera una gran variabilidad, puesto que las de tipo nacionalista popular de la era varguista se han mostrado, en su momento, muy abiertas a nuevas ideas. Esta potencial volatilidad del espectro político brasileño introdujo un elemento de incertidumbre en su transición a la democracia, así como en su posterior consolidación. Pero veamos más de cerca el espinel político e ideológico de ese país.

La Derecha en el Brasil tiene una sólida tradición, desde los tiempos del Imperio y de la República Velha (1889-1930), cuando controlaba electorados rurales y relativamente pasivos. Después del intervalo del Estado Novo (1937-1945), volvió a emerger con bastante fuerza, como União Democrática Nacional (UDN), y en 1960 fue capaz de ganar una elección nacional, coop-

[3] Maria Celina Soares de Araújo, *O segundo governo Vargas, 1951-1954: democracia, partidos e crise política,* Rio de Janeiro, Zahar, 1980; Francisco Weffort, *O populismo na política brasileira,* Rio de Janeiro, Paz e Terra, 1978.

tando a Jánio Quadros, un *condottiere* de San Pablo con apoyo popular, pero claramente instrumentado por la Derecha.[4]

No existía en el Brasil un verdadero equivalente de la Unidad Popular chilena, en aquel entonces. Lo más cercano era el Partido Comunista, que no tenía un gran caudal electoral permanente, aunque poseía importantes anclajes en sectores obreros e intelectuales y de clase media, incluso entre los militares, profesión de la que provenía su jefe Luis Carlos Prestes. En 1935 había intentado un levantamiento armado, y hacia 1960, ya abandonado su anterior antivarguismo, estaba plenamente consubstanciado con la variante populista de Goulart. Comparados con los partidos de izquierda de Chile, los Comunistas brasileños constituían un grupo pequeño, pero con amplios contactos y ligazones con el liderazgo de un movimiento masivo como el varguismo.[5]

La alquimia de transformar a un movimiento de inspiración varguista en otro de carácter marxista podría quizás haber tenido éxito; no como resultado de la conciencia de clase y del lento crecimiento de la organización proletaria, sino de un golpe de mano por parte de una elite audaz, como la que rodeaba a Goulart. Para las clases dominantes brasileñas, la situación era aún más explosiva que en Chile; pero si se podía reprimir y dispersar a las elites movilizadoras, o destruir sus contactos con las masas, se regeneraría una situación de tranquilidad social más sólida que en el país andino. Ésta es la característica paradójica de la situación brasileña, que hace más inestables las transiciones y consolidaciones democráticas en ese país que en otros más homogéneamente desarrollados, como Chile, Argentina o Uruguay.

Las fuerzas varguistas se habían agrupado, desde su creación, en dos sectores: el centrista Partido Social Democrático (PSD) y el más movilizador Partido Trabalhista Brasileiro (PTB). El primero ocupaba una posición en el espacio social no demasiado distinta de la de la Democracia Cristiana chilena, aunque con mucho menos fervor ideológico y garra organizativa, mientras que el Trabalhismo era un equivalente más volátil de la Izquierda chilena, robustecido por los avances en el camino de la industrialización,

[4] Hélio Jaguaribe, *Brasil: crisis y alternativas,* Buenos Aires, Amorrortu, 1976; Philippe Schmitter, *Interest Conflict and Political Change in Brazil,* Stanford, Stanford University Press, 1971; Maria Victória de Mesquita Benevides, *A UDN e o udenismo: ambigüidades do liberalismo brasileiro, 1945-1965,* Rio de Janeiro, Paz e Terra, 1981.

[5] Leôncio Martins Rodrigues, "O PCB: os dirigentes e a organização" en *História Geral da Civilização Brasileira,* dirigido por Sérgio Buarque de Holanda y Boris Fausto, Rio de Janeiro, Difel, 1963-1986, tomo 3, vol. 3, cap. 8; Stanley Hilton, *A rebelião vermelha,* Rio de Janeiro, Record, 1986; Edgard Carone, O PCB, 2 vols., Sao Paulo, Difel, 1982.

que lo hacían percibir cada día como más fuerte. Pero se habría necesitado un desarrollo económico mucho mayor para convertir a ese partido obrero en un pilar de moderación. En ese entonces los líderes que generaba de sus propias filas, así como los que lo dirigían y movilizaban desde arriba, eran completamente impredecibles, pues no eran mantenidos dentro de límites precisos por los requisitos de la organización autónoma en gran escala.

El golpe de 1964 fue en gran medida una reacción civil, no sólo militar, ante la política de Goulart. Lo que ocurrió fue una ruptura de la alianza entre el PSD y el PTB, ya que la mayor parte de los muy moderados jefes del PSD apoyó el golpe. El régimen militar fue mucho más civilista que sus equivalentes en otros países del área. No cerró el Congreso, sino que se limitó a purgarlo de sus elementos más radicalizados. Pronto las nuevas autoridades forzaron a todos los legisladores a reagruparse en dos partidos, uno oficialista, la Aliança Renovadora Nacional (ARENA), y otro opositor, el Movimento Democrático Brasileiro (MDB). En este último se refugió la mayor parte del PTB, con un pequeño componente del PSD.

El régimen militar brasileño siempre convocó a elecciones competitivas para congresales, quienes a su vez designaban al presidente, sin que hubiera fraude en escala significativa, aunque existía censura de prensa y escasa libertad de organizarse para la oposición. De todos modos, en general los candidatos oficiales conseguían una mayoría, debido al fuerte apoyo civil que el gobierno tenía entre las clases medias y altas, y contando con la naturaleza fácilmente influenciable del electorado rural o semirrural. Este electorado votaba resignadamente por notables locales cooptados por el gobierno, mientras no se sintiera afectado por impulsos *movilizacionistas* que vinieran desde lo alto, como en tiempos de Goulart.

En la Argentina o el Uruguay, los regímenes militares nunca contaron con un grupo social equivalente, y nunca pudieron formar una clientela electoral propia. En cuanto a Chile, Pinochet obtuvo apoyo electoral significativo, pero basado en un tipo moderno de conservadorismo, que, en el Brasil, sólo existía en el sur y, sobre todo, en San Pablo.

Durante la presidencia de Ernesto Geisel (1974-1979), se lanzaron planes para una transición, los que se aceleraron bajo João Batista Figueiredo (1979-1985). Los políticos oficialistas, en general, se dividían según su origen; los exudenistas eran más *halcones*, mientras que los expeessedistas, que compartían un pasado varguista con la oposición, tendían a contarse entre las *palomas*. Los militares, por su profesión, tendían a la línea dura, aunque había excepciones y numerosos creadores de complejas estrategias. Entre los últimos se contaban quienes creían que la mejor forma de desactivar la bomba del descontento popular era cooptar a un sector de esa misma masa amenazante. La Revolución Peruana parecía señalar el camino para esta gente, representada especialmente por el general Afonso Albuquerque Lima.

La táctica, que implicaba buscar aliados entre potenciales enemigos, se cristalizó —entre otros proyectos— en el Plan Rondón, que consistía en hacer participar a estudiantes universitarios en trabajo social en el interior del país, bajo la guía de las Fuerzas Armadas, como alternativa a la conscripción. Se esperaba que, ante la dura experiencia, los jóvenes y potenciales revolucionarios descubrieran *el Brasil real*, generándose un nuevo tipo de solidaridad pragmática con sus mentores uniformados. Proyecto peligroso si los hay, que, de todos modos, quedó en nada al caer su inspirador de la posición influyente de que gozó por varios años.

Es como para preguntarse cómo puede alguien haber pensado un plan tan extraño sin que sus colegas lo hayan mandado callar. Creo que la respuesta debe buscarse en los extremos peligros para el orden dominante que permanentemente se ocultan bajo la superficie de la sociedad brasileña. Un componente de la bomba de tiempo estará un largo rato presente: la enorme reserva de miseria rural, y las masas de nuevos entrantes en las ciudades, que cada año se dirigen a lo que creen ser la prosperidad, y de hecho se parece más a una favela. El otro componente es el muy considerable número de jóvenes semieducados que quedan desocupados o groseramente subocupados, que fácilmente albergan actitudes revolucionarias, y no es realista pensar que se los pueda reprimir para siempre.

Ante el fracaso de los intentos desesperados de cooptación, o de una permanente represión, queda la estrategia alternativa del pacto aperturista, manejado de manera tal que los moderados de la oposición se consoliden, y caiga entonces sobre sus hombros la tarea de controlar a sus propios extremistas. Éste fue el camino finalmente adoptado, una vez que se hizo evidente que la continuada represión conduciría al desastre, entre otros motivos, porque los Estados Unidos ya no la apoyarían.

Al comienzo de la presidencia de Figueiredo, después de casi quince años de alto desarrollo económico, la sociedad brasileña había sufrido numerosos cambios. Aunque seguía generando la bomba de tiempo de los migrantes rurales y de la *intelligentsia* desocupada, también había creado amplios sectores empresarios, y una clase obrera industrial moderna. Estos dos últimos grupos podían dar estabilidad al sistema político, especialmente, los empresarios; pero también los obreros industriales podían introducir un elemento de diferenciación dentro de la masa popular, haciendo menos probable el predominio de una política *movilizacionista* (varguista o de contenido socialrevolucionario).

En este escenario, los moderados del gobierno, muchos de ellos ex peessedistas, consiguieron establecer una transición en que se dejaba de lado la perspectiva de una salida radicalizada; lo peor que contemplaban era entregar el poder a los moderados de la oposición, muchos de ellos ahora también ex peessedistas. Esto es lo que pasó, después de aislar y convertir en minorías a los elementos más radicalizados de ambos bandos. El sistema de las elecciones indirectas para la presidencia se diseñó para disminuir la acción de los estimulantes *movilizacionistas,* siempre al acecho en los grandes enfrentamientos electorales en que se juega —al menos aparentemente— el todo por el todo en una opción personalizada. Dadas las condiciones sociales brasileñas, ya desde la crisis del acceso a la primera magistratura de Goulart en 1961, el parlamentarismo era percibido como un instrumento de control conservador, como una garantía contra el populismo.

En el momento de la transición, en 1985, cuando se iba a dar la primera justa presidencial realmente competitiva, se aplicó la Constitución sancionada por el régimen militar, que dejaba la decisión en manos de un colegio electoral formado por el Congreso pleno más seis delegados extra por cada estado (reproduciendo el principio de formación del Senado). La alternativa que se dio fue entre el partido gubernamental (la ARENA, rebautizada Partido Democrático Social, PDS, después de perder sus miembros más aperturistas, que crearon el Partido da Frente Liberal, PFL) y una oposición formada por el Partido do Movimento Democrático Brasileiro (PMDB, nuevo nombre del MDB) en alianza con el PFL. El sistema indirecto del colegio electoral forzó al PMDB a buscar a uno de sus candidatos más moderados, Tancredo Neves, para la presidencia, acompañado de José Sarney, del PFL, como candidato a la vicepresidencia.

La muerte de Neves convirtió a Sarney, un hombre del régimen militar, en el primer presidente civil, disminuyendo así, de manera catastrófica, la legitimidad del nuevo régimen. Esto, unido a los difíciles problemas económicos que había que enfrentar, produjo la ruptura del PMDB en mil pedazos. Los pocos fieles que quedaron en el partido captaron apenas una exigua parte del electorado en el siguiente certamen presidencial. Es así como los dos partidos de oposición más radicalizados, el Partido Democrático Trabalhista (PDT), de Leonel Brizola, y el Partido dos Trabalhadores (PT), de Lula, que se habían escindido del MDB, y que habían tenido hasta entonces posiciones muy minoritarias, se convirtieron en claros aspirantes al poder en las primeras elecciones directas, y genuinamente libres, que se realizaron en 1989.

En este momento, la Derecha tradicional, de raíces udenistas y peessedistas, que, como vimos, estaba dividida entre el PDS y el PFL, pasaba por una crisis de liderazgo, y su electorado, bastante fuerte hasta casi el fin del régimen militar, parecía derretirse ante el sol naciente de la democracia. La transición hacia una fuerza conservadora más moderna, basada en las clases medias urbanas de la parte más próspera del país, se estaba dando muy lentamente, por cierto, mucho más lentamente que en Chile, aunque tendencias en esa dirección eran visibles, focalizadas por políticos como Paulo Maluf, en San Pablo (del PDS, hoy rebautizado Partido Progressista Brasileiro, PPB). Pero la crisis en el espectro político de la derecha le dio al casi desconocido Fernando Collor de Mello su oportunidad. Catapultado a la prominencia nacional por una cadena de televisión, y con bases en el nordeste, reunió una cantidad grande y heterogénea de seguidores, muchos de bien bajo nivel socioeconómico, pero incluyendo, sobre todo en la segunda vuelta, a la mayoría de las clases altas.

Después del escándalo de corrupción que terminó con su ejercicio del mando, el panorama partidario entró en un estado de confusión aún mayor, por la continuada división de los partidos, especialmente el PMDB, lo que le quitaba al sistema su estabilizador centrista. La Izquierda se ha fortalecido como alternativa, pero, de sus dos versiones, la populista del PDT de Leonel Brizola se ha eclipsado, y la ideológicamente más doctrinaria del PT se ha fortalecido mucho, aliada a pequeños partidos marxistas. El PT evoluciona, todavía sin demasiada convicción, en dirección moderada bajo la influencia de Luis Inácio da Silva, *Lula,* y de sus compañeros del sector sindical, así como de aquellos de sus dirigentes que han obtenido posiciones de gobierno en numerosos municipios y en algunos estados.

Una de las escisiones del PMDB, el Partido Social Democrático Brasileiro (PSDB), buscó reemplazar al PMDB en su rol de fiel de la balanza, aunque todavía con menos caudal electoral propio. Fue, de todos modos, capaz de hacer triunfar a su candidato presidencial Fernando Henrique Cardoso en las elecciones de 1994, al frente de una amplia coalición, que incluyó al sector aperturista de la Derecha, el PFL, y a otros núcleos centristas.

De hecho, la polarización electoral ha alcanzado también al Brasil, aunque de manera distinta de la de Chile. Cardoso se impuso por algo más de la mitad de los votos, juntando desde el centro izquierda hasta la derecha moderada. Frente a él, el PT de Lula, fuertemente ligado a un sindicalismo muy renovado desde los tiempos varguistas, ocupa menos de un cuarto del electorado, aun sumándole sus mucho menos moderados aliados socialistas y comunistas de diversas orientaciones. La gran proliferación de partidos en el Brasil se está realineando en dos o tres grandes bloques: la Derecha más dura, a veces aliada táctica del gobierno; el Centro, con sus variantes de derecha y de izquierda; y la Izquierda relativamente más radicalizada.

Comparado con lo que ocurre en Chile, el sistema brasileño tiene las siguientes diferencias: (i) la Derecha está dividida, y es más débil que en Chile, aunque si se le sumara su sector que colabora con el gobierno, adquiriría mayor relieve; (ii) el Centro, numeroso y gobernante pero muy heterogéneo, difícilmente puede compararse a la Concertación, aunque comparta su programa, pues la Concertación es mucho más sólida, y, de hecho, es la principal oposición al *Establishment;* (iii) la Izquierda en el Brasil no es comparable a la extrema izquierda chilena, aunque comparte algunos de sus valores, pues tiene más sólidas bases sindicales y electorales, y por lo tanto, mayor perspectiva moderada.

La Argentina o el enigma del populismo

La transición argentina debe ser contrastada especialmente con la de Chile, cuya estructura social es bastante similar, aunque los sistemas de partidos son bien diferentes. Si Chile es el país de América Latina que presenta la más lozana aunque hoy moderada, izquierda, de tipo europeo, la Argentina alberga el más fuerte y arraigado de los partidos nacional-populares de la región.

Durante varias décadas, el peronismo ha sido visto por las clases altas como una seria amenaza a sus intereses. Pasó por episodios de violencia y aguda oposición a los sectores dominantes, especialmente, durante su largo ostracismo (1955-1973). Pero siempre ha tenido importantes elementos conservadores en su liderazgo, y otros orientados hacia formas de nacionalismo autoritario tercermundista. Esta peculiar combinación tuvo éxito, en el momento de su constitución, en eliminar prácticamente a la Izquierda como alternativa electoral.

Como consecuencia de todo esto, el principal propósito de todos los regímenes militares que tomaron el poder en la Argentina desde 1955 (1955-58, 1962-63, 1966-73 y 1976-83) ha sido el de voltear un gobierno peronista, o impedir su previsible acceso al poder. Es cierto que el peronismo no era revolucionario en sus intenciones, pero su acceso violento al poder, si éste se hubiera dado durante coyunturas como la de 1973, habría podido generar cambios sociales muy radicales, no necesariamente premeditados.

El fracaso de los regímenes militares argentinos —juzgados por comparación a lo ocurrido en el Brasil y en Chile— fue en buena parte debido a la fuerza de los grupos de presión, a cualquier nivel de la estratificación social, organizados o no de manera *corporativa.* La naturaleza heterogénea y contradictoria de los elementos componentes del peronismo también contribuyó a desorientar a sus adversarios en cuanto a las estrategias más adecuadas por emplear, generando, por lo tanto, divisiones en el frente de los gobiernos de facto.

Los cuatro períodos militares a que se hizo referencia se vieron seriamente debilitados por golpes internos. Éstos no se debieron a ambiciones de los militares —que siempre existen—, sino al hecho de que el carácter conflictivo de la sociedad civil se reflejaba en divisiones entre las facciones armadas, de una intensidad sin paralelo en los otros países. Es que la amenaza que las clases populares significaban para los sectores dominantes en la Argentina era suficientemente fuerte como para hacer que éstos recurrieran a los cuarteles, pero no tanto como para disuadir a aspirantes militares o civiles de usarlas como aliadas contra sus rivales. Finalmente, uno de esos aspirantes, el general Galtieri, se vio impelido a recurrir a una riesgosa acción internacional como intento de salir de una situación ya muy comprometida.

En la Argentina, la Derecha electoral es muy débil, y está dividida en varios partidos, en contraste con lo que ocurre en Chile y en el Brasil. Se dice a menudo, después de la reorientación del presidente Carlos Menem en una dirección neoliberal, que el peronismo, al fin y al cabo, ha demostrado ser —para algunos ya desde sus inicios— un movimiento conservador, o conservador popular. Creo que esto es un error, pues confunde características de base con políticas económicas instrumentales, comunes también a la socialdemocracia europea. Si el peronismo hubiera sido simplemente una fuerza conservadora popular, nunca habría generado un resentimiento tan intenso en las clases altas.

Durante la transición a la democracia (1982-1983), el temor a una victoria peronista quitó el sueño a la mayor parte de los sectores altos y medios, y también de la *intelligentsia,* que estaba de vuelta de su breve deslumbramiento con el partido de la clase obrera. La ausencia de una derecha electoral sólida fue reemplazada por la Unión Cívica Radical, que, bajo la dirección de Raúl Alfonsín, había incorporado a un amplio sector de la *intelligentsia* desilusionada, a lo que sumó el voto, si no el corazón, de las clases altas. Es así como la Unión Cívica Radical cumplió un rol de moderador centrista en la transición, parecido al de la Unión de Centro Democrático de Adolfo Suárez en España.

El caos generado por la guerra de las Malvinas hizo evidente que los militares no eran buenos guardianes de los intereses de las clases empresariales, aun cuando en momentos de crisis pudieran serles necesarias. Ya el Perú, para no hablar de tantos países africanos y del Medio Oriente, mostraba que los militares podían sufrir inesperadas mutaciones de sus lealtades políticas. Por el otro lado, aun contando con Fuerzas Armadas leales, Cuba y Nicaragua señalaban los peligros de una continuada e intensa represión.

La victoria radical de 1983 facilitó la transición, porque ese partido era menos amenazante que el peronismo para la mayor parte de los sectores de la sociedad argentina. Esto era así, a pesar del propósito de Alfonsín de hacer pagar a los miembros de las Juntas por sus violaciones de los derechos humanos. Se había hecho ya evidente que los militares, por sí solos, sin apoyo orgánico de ningún grupo social importante, no tenían mucho poder. Se decía, en aquel entonces, que existía un pacto formal o informal entre los uniformados y los sindicalistas, un *pacto militar-sindical,* una suerte de acuerdo neocorporativista entre dos de los más poderosos intereses sectoriales del país, para seguir compartiendo posiciones de influencia, cualquiera fuera el resultado de las urnas.

Este real o supuesto pacto debe ser contrapuesto a la afirmación hecha más arriba, acerca de la naturaleza antiperonista de todas las intervenciones militares posteriores a la Segunda Guerra Mundial. A mi juicio, el hecho de que los peronistas fueran los principales adversarios de los militares (y de las clases empresariales en general) los obligaba a curarse en salud, actuando con particular cautela, puesto que cualquier paso en falso de su parte produciría una reacción inmediata y violenta del otro lado. Nadie temía serios daños, en cambio, por parte de un gobierno radical. Y si éste pudo actuar de manera muy incisiva respecto de los integrantes de las Juntas, ello se debió, en buena medida, a que se trataba de una operación limitada, basada en la legitimidad que le daba el tratarse de un partido moderado, ajeno a medidas extremas de cualquier naturaleza.

La política neoliberal conducida por el gobierno de Menem no nos debe llevar a conclusiones apresuradas acerca del carácter social del partido en que se basa. Este tipo de política es, en gran parte, resultado de la globalización de la economía, y se reproduce por todas partes, incluso donde hay gobiernos socialdemócratas, o coaliciones de ese tipo, como en Chile. El peronismo comparte con la socialdemocracia ciertas características, especialmente su anclaje en los estratos más necesitados de la población, y en el sindicalismo, a pesar de sus importantes diferencias, tema al que volveremos. Todo esto puede cambiar en un futuro, y algunas señales en ese sentido están siendo dadas por la presencia de una nueva fuerza más a su izquierda, el Frente País Solidario (Frepaso). Pero, por el momento, las bases populares del peronismo son demasiado fuertes como para poder decir que se trata de un partido de derecha. Si llegara a dividirse, cosa nada imposible dadas las tensiones sociales a las que está sometido, entonces sí podría decirse que uno de sus sectores se parecería mucho al partido de derecha con fuerza electoral cuya ausencia hemos comentado; y el otro sector se asemejaría entonces mucho más a un esquema social demócrata. En el capítulo 7 se examina más detenidamente esta futurología.

Perú o el final de un régimen militar *progresista*

Los militares llegaron al poder en Perú, en 1968, con amplio apoyo de la Izquierda y de la opinión progresista del continente, a pesar de haber sido, durante décadas, los represores de la guerrilla y enemigos jurados del principal partido popular del país, el aprismo. Las alianzas que entonces se dieron, y la diferenciación entre moderados y *línea dura,* alcanzaron enorme complejidad durante los primeros años del régimen, bajo la presidencia del general Juan Velasco Alvarado, que dirigió cambios muy radicales en la estructura de poder y de propiedad. La oposición venía, sobre todo, de la Derecha, no muy fuerte electoralmente, aunque si se sumaba la centrista Acción Popular al más conservador Partido Popular Cristiano, el bloque resultante era bastante respetable. Cierto es que Acción Popular, el partido del defenestrado presidente Fernando Belaúnde Terry, había llegado al poder en 1963 con una imagen progresista, pero lo había hecho como principal alternativa al partido popular, el aprismo, y durante su gobierno, se reorientó hacia la derecha, donde se quedó luego.

En 1975 un golpe interno expulsó a Velasco Alvarado, y encaminó al régimen por sendas más congruentes con las actitudes de los militares, pero no lo suficientemente conservadoras como para obtener un apoyo sólido de la Derecha, que no le perdonaba sus anteriores acciones. Por otra parte, la Izquierda ahora estaba desilusionada con el régimen, y los apristas, aunque contentos al ver la crisis en el campo de sus enemigos militares, les dieron ahora el apoyo necesario para efectuar una transición ordenada al gobierno civil. Se realizaron, entonces, elecciones para una Asamblea Constituyente, en 1979, en las que el aprismo demostró ser el partido con más cantidad de votos, bajo el liderazgo del ya anciano Haya de la Torre.[6]

Desde sus orígenes, el aprismo había sido inaceptable para las Fuerzas Armadas y para la mayoría de las clases altas, y este sentimiento sobrevivió a la evolución moderada de la ideología y práctica del partido. Como el peronismo en la Argentina, el aprismo en el Perú fue, por mucho tiempo el principal antagonista del orden de dominación existente, ocasionalmente revolucionario y siempre visto como amenazante, mucho más que el débil Partido Comunista. Esta percepción estaba aún vigente, de manera que la victoria de Belaúnde en la elección presidencial de 1980 fue recibida con alivio por todo el mundo, incluso los apristas, que estaban pasando por una crisis de sucesión ante la muerte de su jefe. Belaúnde, como agente de la transición, era por cierto mucho más aceptable para las clases altas y los militares que los apristas. Desempeñó un rol parecido al de Suárez en España, Karamanlis en Grecia, o Alfonsín en la Argentina, y pagó un precio aún mayor, pues su partido quedó destrozado al finalizar su mandato. En ese momento, en 1985, la perspectiva de una victoria aprista volvió a concretarse, pero ya sin despertar pánico. Ahora había un nuevo actor en la escena, la Izquierda Unida, capaz de ganar la alcaldía de Lima y de ser un aspirante a la primera magistratura. El aprismo fue entonces visto como un mal menor, aunque siempre irritante para el sector empresario, y pudo sin tropiezos llevar al gobierno a Alan García, que resultó ser caótico y corrupto. Al terminar su mandato en 1990, la Derecha se había reorganizado, basada en la alianza del Partido Popular Cristiano con lo que quedaba de Acción Popular, y con el nuevo movimiento Libertad, de Vargas Llosa, un equivalente de Janio Quadros, igualmente cooptado a un precio moderado. Esta reconstitución de la Derecha electoral, ya en potencia desde el fin del régimen militar, otorgaba un elemento de estabilidad a la transición peruana, tranquilizando a la burguesía. La victoria de Vargas Llosa era considerada

6 Julio Cotler, *Clases, estado y nación en el Perú,* Lima, Instituto de Estudios Peruanos, 1978; David Collier, *Squatters and Oligarchs: Authoritarian Rule and Policy Change in Peru,* Baltimore, Johns Hopkins University Press, 1976; Alfred Stepan, *The State and Society: Peru in Comparative Perspective,* Princeton, Princeton University Press, 1978; Abraham F. Lowenthal, *The Peruvian Experiment: Continuity and Change under Military Rule,* Princeton, Princeton University Press, 1975; José Matos Mar, comp., *Perú, hoy,* México, Siglo XXI, 1971; Thomas M. Davies Jr. y Víctor Villanueva, comps, *Trescientos documentos para la historia del APRA,* Lima, Horizonte, 1978; Oscar Delgado, *El proceso revolucionario peruano: testimonio de lucha,* México, Siglo XXI, 1972; Francisco Miró Quesada, *La ideología de Acción Popular,* Lima, Tipografía Santa Rosa, 1964.

evidente, debido a la baja de popularidad del Apra después de los desaciertos de Alan García, y como reacción ante la amenaza que significaba una Izquierda Unida, que parecía tener posibilidades de éxito.

En este momento, lo inesperado ocurrió con la candidatura de Alberto Fujimori, un independiente que seguía los pasos del brasileño Collor de Mello. Sin embargo, su rol es distinto, pues no fue apoyado por la Derecha, sino más bien por muchos apristas desilusionados, que pasaron masivamente sus votos, si no sus lealtades íntimas, al nuevo personaje. Esto creó un gobierno inestable, con poco apoyo en el Congreso, y terminó finalmente en el autogolpe de Fujimori, rubricado por bastante apoyo popular y su reelección.[7]

Durante la transición en el sentido estricto del término, o sea entre 1979 y 1980, algunos miembros de la primera etapa del gobierno militar intentaron crear un partido heredero de la Revolución Peruana, capaz de incorporar a reformistas *pragmáticos*. En las urnas su fracaso fue completo, reflejando la dificultad que siempre había tenido el régimen en armar un partido, a pesar de su política de cambios radicales. Por cierto que Velasco había tenido que enfrentarse a los años de vacas flacas, que disminuían la cantidad de recursos por distribuir. En ese sentido, la experiencia de Perón en la Argentina no es comparable. A veces se sostiene que esta dificultad en armar una fuerza electoral se debió a que los militares peruanos no creían en los partidos políticos, y prefirieron armar una clientela popular a través de organizaciones de base no partidistas, en el llamado Sistema Nacional de Movilización Social (SINAMOS). Pero éste no resulta un argumento convincente, y es en cambio más probable que el fracaso se debiera a dos razones, una, la ya aludida crisis económica, y otra, la preexistencia de otro partido popular, el aprista. No es tan fácil armar un partido con amplia repercusión popular, aun usando las palancas del poder. Quizás Fujimori pueda realizar ese milagro, creando un movimiento de integración policlasista, con sólido apoyo empresarial y simpatía popular. Su victoria en el referendum constitucional de 1993 y en las elecciones de 1995 parecería señalar ese camino, marcando la crisis definitiva del Apra. Sin embargo, ello

[7] Henry A. Dietz, "Political Participation in the Barriadas: An Extension and Reexamination", *Comparative Political Studies* 18:3 (1985); Jorge Parodi, *La desmovilización del sindicalismo industrial peruano durante el segundo belaundismo,* Documento de Trabajo Nº 3, Lima, Instituto de Estudios Peruanos, 1986; Howard Handelman, *Struggle in the Andes: Peasant Political Mobilization in Peru,* Austin, University of Texas Press, 1975; Cynthia McClintock, "Why Peasants Rebel: The Case of Peru's Sendero Luminoso", *World Politics* 37, 1 (1984); Gustavo Gorriti Ellenbogen, *Sendero: historia de la guerra milenaria en el Perú,* vol. 1, Lima, Editorial Apoyo, 1990.

está aún por verse, y la posterior declinación en popularidad del presidente peruano podría señalar la naturaleza temporaria de la coalición que lo llevó y lo mantuvo en el poder.

Transiciones y turbulencias en Colombia y en Venezuela

Colombia tuvo su transición de un régimen militar a uno civil ya en 1957, pero la permanente violencia hace difícil hablar de una democracia consolidada. La dictadura de Rojas Pinilla (1953-1957) había sido recibida con amplio beneplácito por muchos dirigentes políticos, como una forma de terminar la guerra civil entre Conservadores y Liberales, que desde el asesinato de Jorge Eliécer Gaitán en 1948, había costado unas trescientas mil vidas. Rojas trató de consolidar su predominio a través de una política de bienestar social y dádivas presidenciales, inspirada en Perón. Su gobierno, apoyado por muchos gaitanistas y por el pequeño Partido Socialista, dirigido por el teórico Antonio García, compartía algunos de los elementos de la posterior Revolución Peruana, aunque el sistema de partidos y la estructura social eran muy distintos de los del Perú. No había un equivalente del Partido Aprista, y las fuerzas políticas estaban divididas entre los dos partidos tradicionales. El sector gaitanista del Partido Liberal tenía alguna afinidad con el aprismo, pero con mucha menor organización y convicción ideológica en sus militantes, que volvieron al Partido Liberal a la muerte de su líder. El general Rojas intentó formar una clientela propia, pero en el proceso se opuso a la Derecha, y no pudo cosechar suficiente apoyo en otros sectores como para permanecer en el poder. Es así que, en 1957, fue derribado por una rebelión cívico-militar, dirigida por ambos partidos tradicionales, que habían firmado un pacto para participar en el poder después del retorno a la Constitución, de manera de evitar la tendencia a la guerra civil ante cada cambio presidencial. El Frente Nacional, fruto de este acuerdo entre las fracciones dominantes de ambos partidos, implicó rotarse en la presidencia por dieciséis años (luego extendidos a veinte), y dividirse por igual todas las posiciones administrativas importantes. El intento del general Rojas de formar su propio partido político, la Alianza Nacional Popular (ANAPO), para enfrentar este acuerdo, no tuvo éxito, aunque en 1970 estuvo al borde de ganar la elección presidencial, entrando como candidato alternativo dentro de las listas del Partido Conservador (al que le tocaba el turno). Típicamente, en estas ocasiones, los grupos moderados de ambos partidos apoyaban al Frente, pero, a menudo, había sectores divisionistas, que se las arreglaban para presentar candidatos independientes, o sea, no consensuados, bajo las banderas nominales de su partido. Así, cuando Rojas casi gana la presidencia (con aproximadamente un tercio del voto total), había tres candidatos, todos formalmente conservadores: el representante oficial del Frente, votado por los leales de ambos partidos tradicionales; un Conservador independiente, de *línea dura,* Alvaro Gómez, hijo de Laureano, jefe de los halcones de su bando, receloso de la influencia liberal en el Frente; y finalmente, el general Rojas, sólo formalmente Conservador, que se inscribió aprovechando aspectos mal definidos de la reglamentación del Frente, que permitían esta burla a sus propósitos originales.[8]

La ANAPO, de todos modos, eventualmente perdió su electorado, en especial, después de la muerte de su jefe. Mientras tanto, la guerra civil continuaba, y en muchos casos, el tradicional enfrentamiento entre bandas armadas de Conservadores y Liberales era sustituida por otra de tipo guerrillero marxista, o de inspiración rojista, como el M-19, así llamado por la fecha (19 de abril de 1970) de la elección *robada.*[9]

El narcotráfico contribuyó a caotizar aún más la situación; aunque el desarrollo económico del país no sufrió demasiado, la violencia llegó a niveles extraordinarios. Finalmente, en una actitud riesgosa, el gobierno liberal del presidente César Gaviria le ofreció la paz al M-19, permitiéndole participar libremente como partido político (Alianza Democrática M-19) en la formación de una Convención reformadora de la Constitución, en 1990. En esas elecciones, que tuvieron una participación aún más baja que lo que es usual en Colombia (sólo un 30% de los habilitados concurrió a las urnas), el M-19 apareció como la fracción política más votada, debido a la fragmentación de los dos partidos tradicionales. Su voto alcanzó al 27% del total registrado, pero su impacto se vio magnificado por su alianza con el sector gomecista de los Conservadores, que siempre había estado muy opuesto a toda colaboración con los Liberales. Ésta fue una coincidencia de extremos, que con-

[8] Robert Dix, Colombia: *The Political Dimensions of Change,* New Haven, Yale University Press, 1967; Richard Sharpless, *Gaitán of Colombia: A Political Biography,* Pittsburgh, Pittsburgh University Press; Antonio García, *La rebelión de los pueblos débiles,* La Paz, Editorial Juventud, 1955; Elmo Valencia, *Libro rojo de Rojas,* Bogotá, Ediciones Culturales, 1970; Felipe Echavarría Olazaga, *Colombia, una democracia indefensa: la resurrección de Rojas Pinilla,* Roma, 1965; John A. Booth, "Rural Violence in Colombia, 1948-63", *Western Political Quarterly* 27, 4 (1974); R. Albert Berry, Ronald G. Gelman y Mauricio Solaún, *Politics of Compromise: Coalition Government in Colombia,* New Brunswick, N. J., Transaction Books, 1980.

[9] Gonzalo Sánchez, "La violencia in Colombia: New Research, New Questions", *Hispanic American Historical Review* 65, 4 (1985).

vergieron en su crítica al *capitalismo liberal,* también estimulada por las doctrinas sociales de la Iglesia. En el campo católico, se está dando, como en otras partes del continente, una mutación del conservadorismo tradicional a una *teología de la liberación* anticapitalista, por cierto que no sólo en cauces gomecistas.

El sistema bipartidista, que quizás ha sobrevivido por demasiado tiempo en Colombia, al menos con su expresión Conservadora-Liberal, se encuentra seriamente jaqueado en la actualidad. Formalmente, a pesar de las limitaciones impuestas durante los veinte años del Frente Nacional, cuando el Pacto limitaba la operación completa de la Constitución nacional, la democracia se ha mantenido, pero su eficacia depende de que se llegue a arreglos con la guerrilla y se enfrente el problema del narcotráfico.

En Venezuela, desde la caída de la dictadura de Pérez Jiménez en 1958 se ha consolidado un sistema bipolar, con un partido social cristiano (COPEI, Comité de Organización Política Electoral Independiente) de centro derecha, encabezado por Rafael Caldera, y uno con influencias apristas y socialdemócratas, Acción Democrática (AD), dirigido por Rómulo Betancourt. Una guerrilla de jóvenes disconformes con la moderación impuesta a la salida democrática había tomado vuelo al inicio de los años sesenta, reclutando a sectores marxistas y a miembros juveniles de Acción Democrática. Pero después de ser derrotados en el campo de las armas, los dos grupos guerrilleros se legalizaron como partidos políticos, tanto el ex comunista Movimiento al Socialismo (MAS) como el Movimiento de Izquierda Revolucionaria (MIR), generado por los disidentes de Acción Democrática; pero quedaron reducidos a bajos porcentajes del electorado, superando raramente el 10% del total entre ambos.

Al reelegirse en 1989 Carlos Andrés Pérez, de AD, que había dirigido el país anteriormente en tiempos de gran prosperidad (1974-1979) intentó enfrentar las condiciones más difíciles de la economía con una reorientación neoliberal de su programa, lo que generó una muy violenta reacción popular, conocida como el Caracazo, con varios centenares de muertos. Su gobierno encaró dos intentos subversivos de sectores militares que pretendían tomar una posición popular y antiimperialista, y que consiguieron bastantes simpatías en una opinión pública descreída. Finalmente, terminó en medio de acusaciones de corrupción, dando inicio a una crisis muy seria del sistema partidario, que hizo eclipsar en las urnas a los dos puntales del sistema existente hasta ese momento, AD y COPEI. En la izquierda, se formó un grupo de raíces sindicales, Causa R, que podría emular al PT brasileño. Pero Rafael Caldera, rompiendo con COPEI y apareciendo como extrapartidario, fue apoyado por los partidos de izquierda, ahora decididamente moderados, y por buena parte de quienes se habían hecho ilusiones acerca de los militares golpistas autotitulados *bolivarianos.* Se creó así un fenómeno de tipo populista, pero es difícil pensar que él se mantenga como actor permanente de la escena política; es bastante probable que a la larga, se vuelva al anterior bipartidismo o sistema de *dos partidos y medio,* con el COPEI como centro derecha, AD como centro izquierda, y una Causa R (u otro movimiento afín) como posible tercer polo. Sin embargo, al finalizar la presidencia de Caldera en 1998, lo que está emergiendo es una tendencia a buscar figuras personalistas, desde la ex Miss Universo Irene Sáez al militar ex golpista Hugo Chávez.[10]

Otras transiciones sudamericanas

Los países más pequeños de Sudamérica presentan muchas diferencias entre sí, y serán incluidos aquí para completar la descripción.

Uruguay tiene una estructura partidaria muy estable, basada en dos formaciones tradicionales, los Blancos o Nacionales, y los Colorados. Sin embargo, fuera de esta bipolaridad básica, otra fuerza se ha introducido lentamente, a saber, la alianza de numerosos partidos de izquierda denominada Frente Amplio. Los hábitos participativos de la sociedad uruguaya hicieron difícil para los militares forzar a la opinión pública dentro de los cánones de un partido que los heredara, como ocurrió en el Brasil. Las Fuerzas Armadas tenían amigos dentro de los dos partidos tradicionales, que estaban y están muy fragmentados, pero no pudieron imponer su criterio en un referendum que pensaban legitimaría su dominio. Fue así como se vieron forzados por la lógica de sus propios programas a convocar a elecciones libres, precedidas, sin embargo, por un Pacto que los pondría a salvo de condenas por violación de derechos humanos. Este Pacto fue firmado por el principal partido opositor, el Colorado y, extrañamente, por el Frente Amplio, quizás porque este último era el que más ganaría con un retorno a la legalidad. Los Blancos, que tenían muchos elementos conservadores, aunque también un sector renovador dirigido por Wilson Ferreira Aldunate,

[10] Teodoro Petkoff, *Proceso a la Izquierda,* Barcelona, Oveja Negra, 1976; Carlos Rangel Guevara, *Del buen salvaje al buen revolucionario,* Caracas, Monteávila, 1976; Howard R. Penniman, *Venezuela at the Polls: The National Elections of 1978,* Washington, American Enterprise Institute, 1980; Steve Ellner, *Los partidos políticos y su disputa por el control del movimiento sindical en Venezuela, 1936-1948,* Caracas, Universidad Católica Andrés Bello, 1980.

se resistieron a la firma, cubriéndose con el manto de la intransigencia y el principismo. Es posible que el hecho de tener fuertes anclajes en las clases altas les permitiera ensayar esta renovación de su imagen, pues, de todos modos, no eran creíbles como amenaza al sistema de dominación existente, a pesar de estar enfrentando a los militares con más decisión que los Colorados o el mismo Frente Amplio.

La victoria de los más experimentados Colorados facilitó la transición, y luego se dieron alternancias en el poder con los Blancos o Nacionales. Ahora, una más permanente consolidación demanda aceptar al Frente Amplio como actor legitimado, con posibilidades de ganar las elecciones presidenciales de 1999. La tripartición del esquema electoral uruguayo está en trance de volver a una bipolaridad, al producirse, quizás, una coalición de los dos partidos históricos, o más probablemente la declinación de uno de ellos, quedando el otro como contendor de un Frente Amplio ya convertido a la moderación. Este Frente, a pesar de haber perdido al sector centrista ex Colorado dirigido por el senador Hugo Batalla, se orienta claramente en dirección reformista.[11]

En el Paraguay, Alfredo Stroessner fue depuesto por un golpe dirigido por su consuegro, el general Andrés Rodríguez, quien se vio forzado a otorgar elecciones relativamente libres para adquirir legitimidad. La peculiar naturaleza del régimen paraguayo se hizo evidente aquí, pues, a pesar de su historial represivo, él se basaba en una forma de populismo, o quizás, conservadorismo popular, centrado en el Partido Colorado (nada parecido a su homónimo uruguayo). El régimen de Stroessner había protagonizado un desarrollo económico acelerado, y había inaugurado una política de distribución de tierras, especialmente en zonas de frontera, lo que unido al nacionalismo de viejas raíces coloradas, y a una estrategia de balanceo entre sus grandes vecinos, le otorgaba mucha más popularidad que lo que sus oponentes estaban dispuestos a concederle. El hecho es que el Partido Colorado ganó holgadamente las elecciones, que llevaron a Rodríguez a la presidencia constitucional. Luego, en 1993, las urnas volvieron a dar el triunfo a un líder renovador de su partido, Juan Carlos Wasmosy, quien, sin embargo, no logró una mayoría absoluta en el Congreso. El Partido Febrerista, de ideología cercana al aprismo, demostró carecer de bases electorales significativas, mientras que el antiguo Partido Liberal se mantiene como principal

[11] Juan Rial, "Los partidos tradicionales: restauración o renovación", y con Carina Perelli, "El discreto encanto de la social-democracia en el Uruguay", Documentos de Trabajo, *Centro de Informaciones y Estudios del Uruguay,* Montevideo, 1984 y 1985; Arturo Porzecanski, *Uruguay's Tupamaros: The Urban Guerrilla,* New York, Praeger, 1973.

oposición. Una nueva experiencia, la del Encuentro Nacional propiciado por el fuerte empresario Guillermo Caballero Vargas, parecía poder rivalizar con el coloradismo en las urnas, pero, al final, sólo consiguió un tercer puesto en 1993. En 1998, una elección muy reñida dio la victoria al Coloradismo, contra una Alianza de los Liberales y el Encuentro.

Se argumenta a veces que los clásicos controles ejercidos por el régimen a través del Partido Colorado siguen operando (como en México) y que el terror oficial se ha ejercido por tanto tiempo, que él ha moldeado la mente de una gran parte de la población. Aunque esto puede ser en parte cierto, lo es también que no todos los regímenes autoritarios consiguen estos resultados.[12]

En Bolivia hubo un largo período de intervenciones militares caóticas, que duró desde 1964, cuando cayó el Movimiento Nacionalista Revolucionario (MNR), hasta 1982, cuando se dio un retorno a la política electoral, en un contexto de estancamiento económico, alta inflación e intenso antagonismo civil. Este período militar presenció un par de intentonas de emular a los camaradas peruanos en su política *revolucionaria,* primero con el general Alfredo Ovando (1969-1970), y luego, más seriamente, con el general Juan José Torres (1970-1971). Esta experiencia, como en otras partes del continente, moderó el entusiasmo de las clases altas por el gobierno militar, aunque sin cortar su disposición a recurrir a este remedio en casos extremos.

La estructura partidaria es bastante fluida, aunque uno de sus componentes firmes es el Movimiento Nacionalista Revolucionario tradicional (a veces, denominado Histórico), el cual, después de sufrir un corto eclipse, ha reemergido como una importante fuerza electoral. En la Derecha, el general Hugo Banzer, que en su tiempo ejerció la dictadura, dirige la conservadora Alianza Democrática Nacional, y, de esta manera, ha recanalizado hacia una política electoral a las clases altas y amplios sectores de las clases medias, así como a los intereses regionales de las tierras bajas de Santa Cruz. Llegó a la presidencia en 1997. En esta ocasión lo hizo en primer lugar, con algo menos del tercio de los votos, pero fue ungido presidente por una alianza muy heterogénea. Un tercer componente del espectro partidario es el ex

[12] Paul Lewis, *Paraguay Under Stroessner,* Chapel Hill, University of North Carolina Press, 1980; Domingo Rivarola, comp., *Estado, campesinos y modernización agrícola en el Paraguay,* Asunción, Centro de Estudios Sociológicos, 1982; Werner Baer y Melissa Birch, "La expansión de la frontera económica: el crecimiento paraguayo en los años setenta", *Revista Paraguaya de Sociología* 20, 58 (1983); Fran Gillespie, "Comprehending the Slow Pace of Urbanization in Paraguay Between 1950 and 1972", *Economic Development and Cultural Change* 31, 2 (1983).

izquierdista Movimiento de Izquierda Revolucionaria, que llevó a su líder, Jaime Paz Zamora, a la presidencia en 1989, a pesar de haber llegado en tercer lugar en los cómputos, mediante una alianza *non sancta* con el general Banzer, dirigida a evitar un continuismo del MNR. Pero en 1993 volvió a imponerse el MNR, por un margen suficientemente amplio como para evitar la repetición de esa estratagema.[13]

La crisis endémica del MNR ha dejado lugar para la proliferación de movimientos neopopulistas, como la Unión Cívica Solidaridad, dirigida por el cervecero Max Hernández, y después de su fallecimiento, por el igualmente millonario Ivo Kuljis. Otro movimiento de parecida orientación, aunque menos plutocrática conducción, es Conciencia de Patria (Condepa), una de cuyas dirigentes es la autoidentificada como "chola" Remedios Loso. Más a la izquierda, está el más reducido grupo de Bolivia Libre y algunos partidos indigenistas.

En el Ecuador, también los militares pasaron por una etapa de peruanización (1972-1979, con un golpe de timón interno en sentido conservador en 1976). Esto los malquistó con las clases dominantes, y la transición fue así favorecida, como en otras partes del continente, por la conversión de la Derecha a la democracia, lo que se reflejaba también en el otro hemisferio político. Jaime Roldós, en sustitución del popular pero inhabilitado líder Assad Bucaram, fue elegido con una pequeña mayoría (27% en la primera vuelta), apoyado en la segunda vuelta por la izquierda moderada. Un Partido Conservador católico tuvo suficiente fuerza como para acceder a la presidencia en 1984, mientras que, en 1988, la Izquierda Democrática, un partido socialista con raíces tradicionales en el país, ganó la carrera, aunque sin mayoría en el Congreso, y por lo tanto, muy limitado en la realización de su programa. El sector tradicional del espectro partidario sigue con buena salud en Ecuador, como en Colombia, principalmente, en la forma de Conservadores y Liberales, con variantes socialcristianas, a los que se suma un populismo proteico, que ha cambiado continuamente sus denominaciones y sus dirigentes, desde Velasco Ibarra, en los años cuarenta, a Assad Bucaram, en los setenta. Como en Uruguay, también aquí una nueva formación, la Izquierda Democrática, que, de hecho, mezcla las características de un Partido Radical con las del socialismo democrático, lucha por su propio

[13] James M. Malloy y Richard Thorn, comps, *Beyond the Revolution: Bolivia since 1952,* Pittsburgh, Pittsburgh University Prss., 1971; Herbert Klein, *Bolivia: The Evolution of a Multiethnic Society,* New York, Oxford University Press, 1982; Mario Rolón Anaya, *Política y partidos en Bolivia,* La Paz, Librería Editorial Juventud, 1966; Guillermo Lora, *De la Asamblea Popular al golpe fascista,* Buenos Aires, El Yunque, 1972.

espacio, dispuesto a aceptar las reglas del juego. Al finalizar su mandato en 1992, sin embargo, la dificultad de superar los problemas económicos le valió un voto castigo, y dio la victoria a uno de los dos candidatos de extracción conservadora que acapararon las preferencias ciudadanas.[14]

En 1996 se impuso (en segunda vuelta, o sea, sin mayoría parlamentaria) el antiguo movimiento populista que había sido antes conducido por Roldós y por Assad Bucaram, esta vez dirigido por el sobrino de este último, Abdala Bucaram, cuyos excesos demagógicos le valieron muchos votos, pero lo obligaron a renunciar al año.

En Guyana la política está muy faccionalizada según líneas étnicas, y bastante radicalizada ideológicamente. A la etapa socialista y simpatizante con Cuba, bajo el líder de extracción hindú Cheddi Jagan, expulsado del poder por intervención británica en 1964, sucedió la hegemonía de Forbes Burnham, representante de los afroamericanos, y que evolucionaba hacia posiciones tercermundistas y de nacionalismo estatista, aunque pro norteamericano. Su régimen ha sido muy monopolizador del poder, y persecutorio hacia el sector hindú, pero, más recientemente, elecciones libres le volvieron a dar el poder a Jagan, ahora convertido a la moderación, lo que parece inaugurar una transición peculiar en este país, pues no se da desde la dictadura militar, sino desde un autoritarismo civil con apoyo popular.

En cuanto a Surinam, su sistema partidario ha sido extremadamente complejo y cambiante, y protagonizó episodios de violencia y autoritarismo, con una fluctuante seguidilla de alianzas, rompimientos y reconciliaciones entre militares, sindicalistas, e ideólogos de izquierda, que constituyen una verdadera pesadilla para cualquier interpretación sociológica. Todo, además, cruzado por las lealtades étnicas, en este caso, divididas entre los negros y los javaneses.[15]

México o el partido dominante cuestionado

En México, después de la terrible guerra civil revolucionaria, se formó un poder consensual y constitucionalista, pero de origen violento, y poco

[14] Felipe Burbano y Carlos de la Torre, comps, *El populismo en el Ecuador,* Quito, Instituto Latinoamericano de Investigaciones Sociales, 1989; Rafael Quintero, *El mito del populismo en el Ecuador,* Quito, Editorial Universitaria, 1980; Nick D. Mills, *Crisis, conflicto y consenso: Ecuador, 1979-1984,* Quito, Corporación Editora Nacional, 1984.

[15] Kemp Ronald Hope, *Politics and Development in an Emergent Socialist State,* Oakville, Ontario, Mosaic Press, 1985; Henk E. Chin y Hans Buddingh, *Surinam: Politics, Economics and Society,* Londres, Frances Pinter, 1987.

acostumbrado a preguntarle a la gente qué es lo que había que hacer. Es probable que la manipulación muy generalizada de los resultados electorales no hubiera sido necesaria para ganar las elecciones, pero sí lo era para legitimarlas mostrando que mucha gente daba el *sí* al gobierno, a pesar de la apatía general.

De todos modos, con el avance de las luces de este siglo, la presión se hizo sentir cada vez más en el sentido de garantizar no sólo un sufragio limpio, sino un trato más respetuoso a los opositores. Pero comparado con los regímenes realmente represivos del continente, el sistema mexicano en general no ha sido una dictadura, sino una democracia corrupta, que no es lo mismo.[16]

El Partido Revolucionario Institucional (PRI) es el gran invento de la Revolución Mexicana. Su característica abarcadora es típica de un fenómeno revolucionario —bastante difundido en países del Tercer Mundo— que destruye a una clase dominante previa, y forma un nuevo sistema productivo, con sus nuevos grupos económicos privilegiados, además de beneficiar de alguna manera a un amplio sector de las masas. Este tipo de partido ha incluido, en sus largas décadas de auge, a gran parte de los sectores activos de las diversas clases sociales del país. Lo más estratégico en este proceso es que la clase empresarial de la industria y el comercio, aunque ya existía antes de la Revolución, fue en gran medida re-creada por ella, dado su escaso volumen previo, el subdesarrollo imperante hasta ese momento, y el carácter muy rural del país. Lo mismo puede decirse de las clases medias y profesionales en general. La destrucción de un sistema de dominación previa implica que se crean muchas oportunidades para el ascenso de nuevos sectores de la población, y ellos, en general, estarán ligados al régimen que lo hace posible.

En ámbitos populares, o sea de tipo obrero y campesino, la cosa es aún más obvia. Los campesinos, habiendo sido favorecidos por el reparto de tierras, para lo cual muchos de ellos lucharon, lógicamente debían estar a favor del nuevo sistema, independientemente de que la Reforma Agraria tuviera, a la larga, buenos o malos resultados. Cierto es que, en la medida en que esos resultados demostraron no ser tan exitosos, el disconformismo social no pudo menos que extenderse en el campo.

[16] Barry Carr, *El movimiento obrero y la política en México, 1910-1929,* 2 vols., México, Sepsetentas, 1976; Roger Hansen, *The Politics of Mexican Development,* Baltimore, Johns Hopkins University Press, 1970; José L. Reyna y Richard S. Weinert, comps., *Authoritarianism in Mexico,* Philadelphia, ISHI, 1977; Roderick A. Camp, *Entrepreneurs and Politics in Twentieth-Century Mexico,* New York, Oxford University Press, 1989.

En los sectores obreros urbanos, la gran mayoría era oriunda del campo, de donde traía una ideología favorable a la Revolución, y una problemática típica del migrante rural-urbano, que busca líderes paternalistas o carismáticos en quienes creer. Así que no fue difícil para el régimen integrar también a la clase obrera y a sus sindicatos, dirigidos de manera caudillista por figuras míticas, algunas de pasado anarquista, como Luis Morones, y de todos modos legitimadas en la lucha por condiciones mejores de trabajo, a pesar de la corrupción que se fue enseñoreando de ellas.

En cuanto a los militares, en gran medida originarios de la lucha revolucionaria, ellos eran apoyos centrales del sistema que contribuyeron a crear y que, a menudo, les permitió convertirse en altos funcionarios o exitosos empresarios. No pasaba lo mismo con la Iglesia, obviamente, dados los enfrentamientos que protagonizó en su momento.

En definitiva, con un amplio apoyo a través de la estructura de clases, el desarrollo económico tuvo una sólida estructura política en que respaldarse. El crecimiento fue por décadas tan exitoso, que sus cifras resultan comparables a las que los Tigres asiáticos ostentaron con posterioridad, acompañadas por un sistema político no del todo diferente, aunque de muy distinto origen. La gran masa de mano de obra rural barata, tanto la que se quedaba en el campo como la que afluía a las ciudades, permitía generar el milagro de un capitalismo salvaje dentro de una revolución que, supuestamente, tenía ribetes socialistas, contradicción no demasiado diferente de la que se da hoy día en la China.

Por tradición, el PRI ha tenido a su derecha una formación relativamente débil en votos aunque rica en otros sentidos, el Partido de Acción Nacional (PAN); y a su izquierda, un grupo numeroso y desorganizado, aún más débil en votos, y concentrado en sectores intelectuales y en minorías sindicales y campesinas, pero que, al sumársele una escisión del PRI dirigida por Cuauhtémoc Cárdenas (Partido de la Revolución Democrática, PRD), adquiere mucha mayor presencia. En la medida en que el desarrollo económico se fue intensificando, México aumentó su sector urbano, y vio robustecerse a su empresariado, que buscó, lógicamente, mayor protagonismo político. Lo mismo ocurrió con el movimiento obrero y con el campesino, cuyos sectores independientes tomaron mayor peso.

El PRI enfrenta ahora una seria disyuntiva. Lo más tentador, lo más lógico —si la lógica consiste en la extrapolación del pasado— es tratar de seguir ocupando el centro pragmático, robusteciendo sus apoyos en todos los sectores de la sociedad mexicana, aun a sabiendas de que importantes minorías de esos sectores se le están yendo hacia rebaños ajenos. Al adoptar un decidido pragmatismo, integrando propuestas que le vienen tanto de la derecha como de la izquierda, se puede esperar que los núcleos opositores no sigan robusteciéndose y, además, que nunca se unan, dadas sus diferencias, bien grandes por cierto.

El cálculo es posiblemente correcto a mediano plazo. La unión de las oposiciones puede haberse dado en 1997 por motivos coyunturales, o de saneamiento institucional, como el de responderle al presidente en plena sesión inaugural legislativa, pero es muy difícil, casi imposible, que ellas formen juntas un gobierno alternativo. O sea, se mantendría un sistema de tres tercios, pero con el tercio priísta del centro más fuerte que los otros dos, incapaces de unirse. Además, un sistema electoral adecuado —sin ir a los extremos del inglés— puede ayudar a mantener la hegemonía sin alcanzar al 50% del voto popular, y sin tener que distorsionar los resultados de las urnas. Es una apuesta fuerte, pero razonable.

La otra opción estratégica ante la encrucijada es la de tratar de que el mismo PRI ocupe, de manera preferencial, uno de los dos hemisferios clásicos de la política, aliándose con el actual ocupante de ese lugar, o bien desplazándolo de él, y reduciéndolo a la condición de minoría impotente. Y este camino se bifurca enseguida, porque se puede preferir —o dejar que ocurra— tomar el hemisferio de la derecha, o el de la izquierda.

La reorientación neoliberal, empresista y globalizadora, que muchos creen ser la onda del futuro, parecería indicar una ocupación del hemisferio de la derecha, o una alianza con el PAN, cosa que pareció darse en determinadas secuencias del proceso de transición. Sin embargo, las tradiciones y los instintos de la militancia del PRI harían preferir una posición contraria, dentro de la izquierda del abanico legislativo. En ese caso, si el Partido de la Revolución Democrática (PRD), de Cuauhtémoc Cárdenas, demostrara ser intratable en cuanto a coaliciones, entonces el PRI puede intentar reducirlo a la condición de minoría extremista, algo así como la Izquierda Unida española, el Partido Comunista francés, o la Rifondazione Comunista italiana.

Finalmente, una tercera senda algo oscura y llena de espinas, que también parte de la encrucijada, es la que llevaría a una división del PRI en izquierda y derecha, cada una de las cuales, entonces sí, aliada sin problemas al PAN o al PRD, respectivamente.

Cuba o el partido único sin alternativa

En Cuba, el proceso revolucionario fue iniciado por un conjunto político con diversos componentes ideológicos que oscilaban entre un aprismo algo radicalizado y un revolucionarismo social que rechazaba la validez del modelo comunista. Las circunstancias internacionales obligaron al régimen, de todos modos, a seguir el modelo soviético y a imponer el partido único.

La caída del Muro de Berlín dejó a Cuba desamparada, y sus líderes deberían ver la escritura en la pared, aunque les puede quedar la esperanza de que la China marque un camino de supervivencia. Al menos, supervivencia del régimen político, si no del económico. Claro está que las diferencias son demasiado grandes y obvias como para explicitar aquí.

Para la dirigencia cubana, un examen descarnado del proceso de transformaciones en los países de Europa Oriental es esencial. Los regímenes de esos países resultaron, en casi todos los casos (con la principal excepción de Yugoeslavia), de intervenciones externas, no de revoluciones internas. Su superviviencia, ante las oposiciones internas y ante las amenazas que siempre existían provenientes del bloque occidental, dependía del apoyo ruso. Al eliminarse éste, una vez que Gorbachov hizo clara su renuencia a movilizar recursos para apoyarlos, el principal respaldo de los equipos gobernantes fueron las Fuerzas Armadas. Pero justamente ahí radicó su debilidad, pues esas fuerzas no eran del todo confiables. Rumania pronto demostró lo que podría ocurrir si no se abrían las compuertas de la negociación, aun a costa de perder el poder, que era mejor que perder la vida. Para entender esta actitud de apertura, es preciso creer que o bien los líderes fueron muy sabios (no necesariamente democráticos) o bien sus estructuras internas de popularidad estaban muy corroídas. Ambas cosas deben haber ocurrido, y la corrosión de las estructuras internas era, en parte, debida a que les era muy difícil movilizar los sentimientos antiimperialistas contra el poder que, históricamente, les interesaba a sus poblaciones, el ruso.[17]

En el caso cubano, la situación es bastante distinta de la de Europa Oriental, puesto que el sentimiento antiimperialista, o nacionalista, actúa a su favor, y lo mismo ocurre con el hecho de que la revolución tuvo orígenes locales, habiendo formado unas Fuerzas Armadas a su imagen y semejanza. En ambas cosas, la situación se parece, extrañamente, a la china, a pesar de las obvias diferencias.

Queda, como variable importante, la de la lucha interna por el poder, que, posiblemente, se desencadene a la muerte de Fidel Castro. Creer que un fenómeno social de tanta trascendencia como la democratización del ré-

[17] En algunos países, fue posible movilizar esos sentimientos antirusos, especialmente en Yugoeslavia y en Albania, pero también en Rumania; sin embargo, en estos últimos dos casos, el estancamiento económico y otros problemas de erosión interna hicieron inefectiva la apelación al nacionalismo.

gimen depende de la vida de un individuo va un poco contra las herramientas del oficio de sociólogo. Sin embargo, a veces ocurre, como en el caso de España con la vida de Franco. Claro está que allí la transformación fue posible, porque ya dentro de ese régimen se estaban produciendo muchos cambios, tanto en lo económico, como en lo cultural, especialmente motorizados, estos últimos, por el deseo de incorporarse al modo europeo occidental de vida.

En Cuba, la economía no tiene una evolución parecida a la española, que favorezca una transición ordenada. Más bien tendría efecto contrario, por la proliferación de escaseces y la inevitable agudización de los conflictos sociales internos. Seguramente que la lucha de tendencias, reflejada en las esferas del poder por la sucesión, ya se está dando. Si hay una transformación hacia la democracia, y hacia un nuevo sistema de partidos políticos, ello se deberá, muy probablemente, a una división en el régimen, que puede incluir a las Fuerzas Armadas.

La bipolaridad como tendencia de un sistema político democrático consolidado

Un sistema de partidos capaz de canalizar las tensiones que existen en una democracia acompañada de desarrollo económico necesita, al menos, dos mecanismos de articulación y agregación de intereses. Por un lado, debe tener un partido en el que las clases empresariales se sientan cómodas, sabiendo que defenderá sus puntos de vista y que, cada tanto, ganará una elección. Por el otro lado, debe existir un partido ligado a los sindicatos y a otros sectores populares. A menudo, el primero puede ser llamado el *partido de la Derecha,* y el segundo, *la Izquierda,* o el *partido popular.* Estos nombres pueden cuestionarse, ya que a veces, el partido popular tiene numerosos rasgos conservadores (como en el Peronismo y en la Solidaridad polaca), mientras que el partido por el que votan los empresarios es capaz de contar también con el apoyo de la *intelligentsia,* como mutuo mal menor (como ocurrió con el Radicalismo argentino bajo Alfonsín). Pero con cualquier nombre que se les prefiera dar, la expresión de esos dos conjuntos de intereses, o sea, los empresarios y la clase obrera, es necesaria para la consolidación de la democracia, dado un cierto nivel de desarrollo económico y cultural. Es muy difícil que, en un país industrialmente desarrollado, ambos mecanismos de representación de intereses se den en el mismo partido, o sea, actuando como facciones dentro de él, como ha ocurrido por mucho tiempo en México, y como, según algunos analistas, pareció ser el caso argentino en el momento de auge del modelo menemista.

La experiencia de la mayor parte de las democracias realmente existentes demuestra que, en efecto, en ellas hay partidos conservadores, con ese u otro nombre, o alianzas semipermanentes del mismo carácter, capaces de ganar las elecciones o, por lo menos, de bloquear las medidas más extremas de sus adversarios. Es natural esperar que una pauta semejante se desarrolle en las nuevas democracias latinoamericanas, así como argumentar que la falta de esos partidos o alianzas conservadoras es una de la causas de debilidad política en esta parte del mundo.[18]

Dada la naturaleza de estas sociedades, es muy probable que un partido o alianza conservadora incluirá en su interior importantes sectores con actitudes autoritarias. A pesar de ello, puede jugar un papel positivo en la democratización, precisamente por dar canales de expresión a esos sectores, que se ven, de esta manera, obligados a mezclarse con otros igualmente conservadores, pero más dispuestos a respetar al adversario. Sería tautológico decir que un partido conservador, si compartiera a fondo valores democráticos, ejercería un rol positivo en la mantención de ese tipo de régimen. La hipótesis menos obvia, pero que considero correcta, es que aun un partido sin demasiadas convicciones democráticas puede cumplir ese rol, por la forma en que canaliza sentimientos e intereses económicos sectoriales dentro de la arena política. Hasta se podría decir, un poco paradójicamente, que, si fuera democrático en exceso, dejaría de cumplir la función que se puede esperar de él.

En cuanto al sector popular, se le aplican algunas consideraciones simétricas. Una clase obrera adecuadamente organizada puede ser un sólido baluarte de la democracia; pero sus formas organizativas se resienten a menudo de la falta de hábitos asociacionistas. La legislación de tipo corporativo y las formas caudillistas de liderazgo han funcionado durante bastante tiempo como sustituto de esas carencias. Aunque, en buena medida, la intervención del Estado en este ámbito haya tenido, desde sus comienzos, un propósito

[18] Para el rol de los partidos conservadores, ver Edward L. Gibson, "Conservative Electoral Movements and Democratic Politics: Core Constituencies, Coalition-Building, and the Latin American Electoral Right", en Douglas Chalmers, Atilio Borón y Maria do Carmo Campelo de Souza, comps, *The Right and Democracy in Latin America,* New York, Praeger, 1992, y Atilio Borón, "Becoming Democratic: Some Skeptical Considerations on the Right in Latin America", en el mismo volumen; y Edward Gibson, *Class and Conservative Parties: Argentina in Comparative Perspective,* Baltimore, Johns Hopkins University Press, 1996.

de control, de hecho contribuyó a formar un actor social, que luego demanda caminar con sus propias piernas. El problema que se plantea en la mayor parte de los países de América Latina y de otras zonas periféricas del planeta es cómo se da el proceso de transición, desde la organización caudillista y corporativa hacia la asociacionista y democrática, de este sector. Esto exige un análisis más a fondo del sistema de partidos políticos y, sobre todo, de los que actúan en el sector popular o de la izquierda.

3 Raíces y transformaciones del populismo

El concepto de populismo

Aunque hoy se usa principalmente como sinónimo de mal gobierno, el concepto de *populismo* tiene una larga tradición que data de hace más de un siglo, para referirse a movimientos políticos de fuerte apoyo popular, pero sin una ideología socialista. En un libro publicado en 1969, Ernest Gellner y Ghita Ionescu reunieron una serie de ensayos dedicados a caracterizar a este tipo de movimientos.[1] En ese volumen, se hacía una breve referencia a los *populismos* norteamericano y ruso del siglo XIX, que, a pesar de ser designados de esa manera, eran en realidad una cosa bastante distinta de la que más recientemente ha recibido ese nombre, y que se ha difundido desde los años de entreguerras. ¿Podrá este tipo de fenómeno sobrevivir en el siglo XXI? Posiblemente sí, en los países de menor nivel económico, aunque muy cambiado; mientras que, en los de mayor desarrollo, muy probablemente será reemplazado por otros partidos populares de diversa estructura organizativa e ideológica.

Es preciso, entonces, aclarar un poco el significado del término, que se ha usado en demasiadas formas distintas, incluso para designar a políticos conservadores que apelan a los sentimientos o los prejuicios populares, pero, por otra parte, son incuestionablemente parte del *Establishment,* como Ronald Reagan y Margaret Thatcher. Aunque no es cuestión de discutir por palabras, este uso demasiado amplio del término no es útil, porque puede ser aplicado prácticamente a cualquier dirigente capaz de ganar una elección.

Por otro lado, aunque el fascismo es en general, muy capaz de movilizar a las masas —o a cierto tipo de masas—, es mejor considerarlo en otra categoría, a pesar de que tenga puntos de contacto con el populismo. Este último concepto debe emplearse para expresiones políticas que tienen la

[1] Ernest Gellner y Ghita Ionescu, comps, *El populismo,* Buenos Aires, Amorrortu, 1970; David Apter, *The Politics of Modernization,* Chicago, Chicago University Press, 1965.

capacidad de estimular a la acción a masas con poca organización autónoma, lanzándolas contra los privilegios de las clases más acomodadas, aun cuando un sector de las elites se les pliega, o incluso contribuye a dirigirlas.

Los casos más conocidos vienen de América Latina, especialmente, de la Argentina (peronismo), Brasil (varguismo), Bolivia (Movimiento Nacionalista Revolucionario, MNR) y México (los herederos de la Revolución, sobre todo, el general Cárdenas en los años treinta), con una variante más liberal o democrática en el Perú (aprismo) y en Venezuela (Acción Democrática). En Cuba, Fulgencio Batista fue otro practicante temprano, y, sin duda, Fidel Castro es una expresión del mismo tipo de relación entre líder y seguidores, basada en un vínculo carismático más que en consideraciones ideológicas.[2]

No todos los países han tenido fenómenos duraderos de este tipo, sin embargo, siendo Chile y Uruguay las excepciones más notables. Por otra parte, el Brasil, tierra clásica del populismo, ha visto desaparecer el varguismo, reemplazado por una serie de movimientos conservadores y centristas, a menudo regionales, y por un fenómeno nuevo, el radicalmente izquierdista Partido dos Trabalhadores (PT). Éste constituye una organización muy estructurada, más parecida a los partidos laboristas o comunistas de Europa Occidental que a los populismos que proliferaron o aún proliferan en esta parte del mundo.[3]

En cuanto a la Argentina, el peronismo, aunque todavía vivo, ha adoptado un programa neoliberal, o sea, neoconservador, de privatización y desregulación, el cual, bueno o malo para el país, está a gran distancia del tradicional paquete populista. Y no hay muchas indicaciones de que ese movimiento sea reemplazado por otro de tipo populista, aun cuando pueda perder votos, y quizás el poder, ante una coalición de centro-izquierda, que es otro tipo de animal.

Así, pues, existen indicaciones de cambio. Los partidos de izquierda que puedan emerger, o que están en el proceso de emerger en varios países de la región, se parecen más a versiones de los partidos obreros europeos en etapas tempranas de su historia, cuando aún no estaban reconciliados con la vitalidad del capitalismo.

Pero esto también está cambiando con rapidez, así que quizás nos encaminemos hacia una nueva bipolaridad, entre una Derecha básicamente moderada, y una Izquierda igualmente moderada, más otra izquierda residual,

[2] Michael L. Conniff, *Latin American Populism in Comparative Perspective,* Albuquerque, University of New Mexico Press, 1982.

[3] Moacir Gadotti y Otaviano Pereira, *Pra qué PT: origem, projeto e consolidaçao do Partido dos Trabalhadores,* Cortez Editora, Sao Paulo, 1989.

además de ocasionales intromisiones de rivales religiosos o xenófobos. Estos últimos llegados a la escena europea, aunque a veces caracterizados como *populistas,* de hecho deben ubicarse en otra categoría, pues no están dirigidos contra los grupos dominantes, sino más bien contra sectores humildes, a los que ven como amenazantes. Es verdad que tienen un cierto poder atractivo sobre las clases obreras nativas, y antagonizan a la burguesía liberal y la *intelligentsia,* pero sus enemigos no se encuentran predominantemente entre las clases altas. De hecho, están más cerca del fascismo, pero, para no incurrir en terrorismo terminológico, es mejor llamarlos *nacionalistas radicales,* o *derecha radical.*

El populismo, entonces, tiende a tomar el lugar de lo que sería un movimiento laborista o socialdemócrata —o de un partido como el Demócrata norteamericano— si las condiciones económicas y culturales estuvieran más maduras. En un país en desarrollo, las tensiones sociales tienen gran tendencia a generar minorías insatisfechas, a menudo desesperadas, en las partes altas de la pirámide, entre ellas, en algunos casos el clero y las Fuerzas Armadas. Su presencia muy estratégica en la coalición popular marca la diferencia con la pauta social demócrata o laborista (aunque no con la norteamericana). Pero la heterogeneidad del populismo puede ser causa de divisiones, especialmente si las condiciones sociales llegaran a ser más parecidas aún cuando más no sea a las de ciertos países del Mediterráneo de hace dos o tres décadas.

En cuanto a Europa Oriental, ella comparte bastantes características con América Latina, por el hecho estar en la periferia de una región más desarrollada con la que tiene fuertes identidades culturales y étnicas (en América Latina, esto último se aplica a las elites más que a las masas).[4] Estos vínculos aumentan el nivel de expectativas y, por lo tanto, también de frustración, así como el sentimiento de *déracinement,* sobre el cual se ha construido toda una literatura. Tan así es, que algunos observadores sostienen que América Latina —o la América Latina de la era de las dictaduras y el pretorianismo popular— puede ser el futuro que aguarda a Europa Oriental, pronóstico bastante pesimista, aunque para Yugoeslavia hubiera sido una bendición.[5]

[4] Joseph Rothschild, *East Central Europe Between the Two World Wars,* Seattle, University of Washington Press, 1974; E. Garrison Walters, *The Other Europe: Eastern Europe to 1945,* Syracuse, Syracuse University Press, 1988.

[5] Melvin Croan, "Is Latin America the Future of Eastern Europe?", en *Problems of Communism* vol. 41, Nº 3 (1992); Georges Mink y Jean Charles Szurek, *Cet étrange post-communisme,* Paris, CNRS/La Découverte, 1992; Sten Berglund y Jan Ake Dellenbrant, comps.,

La violencia potencial y dudas acerca de la lealtad de las Fuerzas Armadas desempeñaron un papel importante en las transiciones del Este europeo. Este hecho, a menudo soslayado, adquiere particular centralidad cuando se trae a colación la experiencia latinoamericana, dada la cantidad de intervenciones militares destinadas a reprimir la protesta en esta parte del mundo. Elemér Hankiss, un disidente húngaro, se pregunta en efecto "¿porqué no dispararon?", y llega a la conclusión de que esto se debió al temor a caer en el síndrome Ceausescu, y además porque la mayor parte de los estratos privilegiados del régimen comunista podían fácilmente transformarse en capitalistas.[6]

Rumania, el único país de Europa Oriental donde el comunismo terminó de manera violenta, debido a un cambio de lealtades de las Fuerzas Armadas, provee un escenario casi latinoamericano. El régimen posterior a Ceausescu, de Iliescu, de hecho, tiene gran parecido al de México, donde los herederos de la Revolución han manejado el país por décadas, controlando a gran cantidad de asociaciones intermedias, incluso sindicatos oficiales, pero hasta hace muy poco se resistían a confiar el veredicto de las urnas a las decisiones genuinas de los votantes. En Rumania, este monopolio del poder está llegando a un fin, y lo mismo puede ocurrir pronto en México.[7]

El espectáculo de los mineros que se dirigían repetidas veces a Bucarest, en 1990 y 1991, para enfrentar a los estudiantes que protestaban en la plaza principal es también reminiscente de episodios latinoamericanos. Para usar este método, es preciso que el régimen se sienta con bastante apoyo popular, aunque no necesariamente una mayoría. De lo contrario, sería más seguro usar a la policía, sin correr los riesgos que implica convocar a una importante masa de gente, de comportamiento impredecible salvo si está bien encuadrada.

The New Democracies in Eastern Europe: Party Systems and Political Cleavages, Aldershot, Gran Bretaña, Edward Elgar Publishing Co., 1991.

6 Elemér Hankiss, *Hongrie: diagnostiques. Essai en pathologie sociale,* Paris, Georg Editeur, 1990; Ben Slay, "Poland: The Role of Managers in Privatization", en *Radio Free Europe/ Radio Liberty Report (RFE/RL Report),* 19/3/1993; Istvan Szelenyi, "Prospects and Limits of Eastern Europe's New Class", en *Politics and Society,* Madison, Wisconsin, vol. 15, Nº 2 (1986-1987).

7 Jerzy Wiatr, *The Soldier and the Nation: The Role of the Military in Polish Politics, 1918-1985,* Boulder, Co., Westview Press, 1988; Iván Volgyes, *The Political Reliability of the Warsaw Pact Armies: The Southern Tier,* Durham, NC, Duke University Press, 1982; Condoleezza Rice, *The Soviet Union and the Czech Army, 1948-1983: Uncertain Allegiance,* Princeton, Princeton University Press, 1984; Daniel L. Nelson, comp., *Soviet Allies: The Warsaw Pact and the Issue of Reliability,* Boulder, Westview Press, 1984.

Los regímenes comunistas del Este europeo en su mayor parte no eran de tipo populista; habían sido impuestos desde arriba y estaban altamente burocratizados. La principal excepción era Yugoeslavia, donde Tito llegó al poder por sus propios medios, y su prestigio personal era parecido al de Fidel Castro, o sea, de tipo populista.

La ideología tiene un rol innegable en generar vínculos entre elites y masas, o en actuar como cemento de solidaridad dentro de las elites. En Rumania aún es dable encontrar muy peculiares combinaciones de pensamiento populista y comunista, que mezclan libremente un pasado fascista con nostalgia por Ceausescu, como ocurre con el movimiento de Vatra Romaneasca (Patria Rumana), o con los editores del influyente periódico Romania Mare (Gran Rumania), acostumbrados a denunciar los *planes internacionales judeo-sionista-capitalistas*. Uno de los mayores teóricos del corporativismo, como es bien conocido, fue Mihail Manoilescu, mientras que otro intelectual rumano, Ilie Badescu, creó la escuela sociológica del *protocronismo,* dedicada a documentar los descubrimientos o formulaciones culturales rumanas precursoras de otras más conocidas de Europa Occidental. Este enfoque fue adoptado como oficial por Ceausescu, y ahora inspira a grupos nacionalistas extremos. Uno de ellos, el Partido de la Derecha Nacional, admite que no cree en la democracia, pero compensa esa falta con su *demofilia,* o sea su amor al pueblo, un concepto creado por Petre Tutea, un admirador del movimiento fascista de entreguerras Guardia de Hierro.[8]

En Polonia los días de gloria de Solidaridad reflejaron la creación de lo que era claramente un movimiento de tipo populista. Tenía un núcleo sólidamente organizado, pero podía apelar a la masa de la población gracias a las conexiones provistas por la Iglesia Católica, y al lanzamiento de Lech Walesa a la prominencia nacional, siguiendo en gran parte el modelo de preguerra de Pilsudski. Las conexiones de derecha y católicas de Walesa no son contradictorias con su carácter populista. Más bien es típico en un movimiento de la clase que hemos descripto como populista el estar culturalmente a la derecha, y conectarse fácilmente con el autoritarismo psicológico difundido en amplias capas de la población. Lo que importa, para el análisis, es ver si este autoritarismo es usado como herramienta en contra de las cla-

[8] Ghita Ionescu, *Communism in Romania, 1944-1962,* 2a. ed., Westport, Conn., Greenwood Press, 1976; Trond Gilberg, *Nationalism and Communism in Romania,* Boulder, Co., Westview Press, 1990; Catherine Verdery, *National Ideology under Socialism: Identity and Cultural Politics in Ceausescu's Romania,* Berkeley, University of California Press, 1991; Michael Shafir, "Growing Political Extremism in Romania", *RFL/RL Research Report,* 2/4/1993, pags. 18-25.

ses dominantes, o a su favor. En el caso de Walesa estaba ciertamente dirigido contra las clases dominantes de la era comunista; pero, una vez que el régimen se derrumbó, y la economía se privatizó, las líneas de conflicto se complicaron. En la izquierda ahora ha reaparecido un partido con raíces en el Comunista, aunque fuertemente transformado y con nombre cambiado, aliado a los Campesinos, y más parecido a su declarado modelo social demócrata que a una forma populista de movilización. El movimiento Solidaridad se rompió en mil pedazos y, al reunificarse en elecciones recientes (1997), parece estar a mitad de camino entre sus orígenes movilizacionistas y un nuevo modelo de derecha moderada y modernizadora.[9]

En varios países de los Balcanes, pareció, al comienzo del postcomunismo, que algunos miembros de la *nomenklatura,* cambiando rápidamente sus programas y sus nombres partidarios, podrían mantenerse al frente de remozados gobiernos, adoptando perfiles nacionalistas, y sólo pequeñas reformas democráticas. Éste es, sin duda, el caso en Serbia, y en menor medida en Bulgaria y Albania, donde las transiciones fueron dirigidas desde los antiguos centros de poder. Es así que, en las primeras elecciones, los dirigentes establecidos se las arreglaron para retener una mayoría, que parecía hegemónica; pero el sistema no ha durado, porque las nuevas instituciones democráticas, a pesar de sus limitaciones, incluían el voto libre. De manera que también los Balcanes se orientan, aunque a tropezones, y con alguna excepción, hacia un modelo basado en dos partidos, o dos coaliciones, ninguna de las cuales puede llamarse populista.[10]

Si nos desplazamos ahora a la parte menos desarrollada del planeta, vemos que, en gran parte de Asia y África, las condiciones generadoras de populismo siguen en buena salud y con perspectivas de proliferar. Es cierto que, en general, no hay mucho para distribuir, pero la lealtad de las masas a símbolos de identidad nacional o religiosa, una vez establecida, puede enfrentar exitosamente los determinantes económicos. En gran parte del Tercer Mundo, la religión y la cuestión étnica funcionan de manera muy peculiar, contraria a la que se da en la experiencia europea, donde han estado asociadas a la Derecha, construida alrededor del Trono y el Altar. En el Medio Oriente, tanto la religión como la cuestión étnica empujan a amplios secto-

9 Carole Nagengast, "Populism and the Polish State", en *Socialist Review,* San Francisco, 20, 2 (1990); Alain Touraine et al., Solidarité, París, Fayard, 1982; Timothy Garton Ash, "Eastern Europe: Aprés le Déluge, Nous", en *The New York Review of Books* 16/8/1990; Bronislaw Geremek, *La rupture: la Pologne du communisme à la démocratie,* Paris, Seuil, 1991.

10 Las principales excepciones son Serbia y Eslovaquia (véase al respecto el capítulo 4).

res, incluso de las clases dominantes, contra los poderes coloniales o ex coloniales, y por lo tanto, a adoptar máximas *de izquierda* o antiimperialistas. Este factor, al operar en todos los niveles sociales, trae a importantes minorías de miembros de las capas altas, terratenientes, comerciantes, burócratas, clero, Fuerzas Armadas, al campo anticonservador. Claro está que muchos, en esos niveles, temen a la agitación popular y, por lo tanto, se resisten a apoyar experiencias movilizacionistas potencialmente peligrosas. Pero la minoría que, de todos modos, supera esas barreras, empujada por los mencionados factores religiosos y étnicos, es mucho más significativa que lo que sería en su ausencia. No es de extrañar, por lo tanto, que el *socialismo árabe* se haya difundido con tanta intensidad, después de haber sido iniciado por Nasser, con raíces en el kemalismo. Este *socialismo árabe* tenía, especialmente en sus comienzos, a los militares como su espina dorsal. Como estos regímenes no se someten a elecciones ni siquiera medianamente libres, es difícil saber cuán populares son. Pero no hay duda de que dirigentes como el mismo Nasser eran capaces de movilizar amplias masas, en un sólido bloque, contra la mayoría de las clases altas preexistentes, o de sus apoyos extranjeros, generando, de tal manera, fenómenos populistas.

Algo parecido ocurre en gran parte de África y Asia, con la principal excepción, hasta hace poco, de la India, donde el Partido del Congreso era un caso muy moderado de populismo, pues contaba con un gran apoyo en las clases altas. Pero en ese país, con la modernización, algunos componentes del tradicionalismo están más bien subiendo, no bajando. Esto es porque la educación, las comunicaciones y la urbanización tienen como efecto principal aumentar el nivel de aspiraciones y, por lo tanto, de frustraciones. Estas frustraciones pueden llevar hacia una izquierda secularizante, pero, más a menudo, hacia la estación intermedia del populismo, o del nacionalismo étnico o religioso, que son más fácilmente comprendidos por un público semiletrado.

Comparados con los casos latinoamericanos, los del Medio Oriente, Asia y África son de tipo más policlasista. Esto se debe a dos factores, que operan a nivel de las elites y de las masas, respectivamente:

1. En el nivel de las elites, se da el ya mencionado efecto de empuje étnico y religioso, que es mucho más débil en América Latina. Las elites de esta región no experimentan intensas confrontaciones étnicas o religiosas con los centros mundiales de poder, salvo que se cuente como tales a las que diferencian a católicos de protestantes, o a latinos de anglosajones, ninguno de los cuales es hoy día demasiado vital en esa parte del mundo. Otros factores sí operan, llevando a veces a sectores militares a actitudes

populistas o, en alguna medida, anticonservadoras. Pero este tipo de vinculación militar con lo popular está desapareciendo, y nunca fue demasiado fuerte en América Latina, aun cuando algunos casos han sido muy visibles, como el de la fase reformista del régimen peruano (1968-1975) o los primeros años del peronismo, iniciado como mutación de un régimen militar (1943-1946) y no sólo como obra individual de Perón.

2. En el nivel de las masas, por otra parte, el grado de urbanización y sindicalización es mucho mayor en América Latina, y por lo tanto, ellas no pueden ser tan fácilmente incorporadas en un sistema pluriclasista. Una de las principales excepciones es el Partido Revolucionario Institucional (PRI) de México, pero esto se debe a que, cuando la Revolución estalló (1910), el país tenía una muy numerosa y empobrecida mayoría campesina, y una historia muy irritante en su confrontación con los Estados Unidos, que no tienen equivalentes en el resto de la región, salvo en partes de América Central y del Caribe. De manera que México se parecía más al Medio Oriente que a los mayores países de América del Sur.

En la medida en que la explosión urbana continúe en el Tercer Mundo, las condiciones para el populismo seguirán siendo favorables. Es cierto que, en muchos casos, las elites populistas que iniciaron sus procesos movilizadores se han deteriorado y corrompido, dejaron de ser dirigentes de procesos contrarios al statu quo y pasaron a funcionar como representantes de nuevas clases privilegiadas. Pero las frustraciones, las tensiones y la revolución de aspiraciones en niveles medios siguen operando, generando todo tipo de potenciales líderes de masas, sin excluir, según la experiencia más reciente, al clero, que desempeña el rol que, en una generación anterior, cumplían los militares.

En América Latina, no parecen existir condiciones para el fundamentalismo religioso como base de movilización, por las razones ya antes expuestas; ni es probable que la cuestión étnica se transforme en una bandera central de lucha, en la mayor parte del área. Sin embargo, en algunos países andinos, y en México y América Central, donde hay importantes grupos aborígenes con reivindicaciones sobre territorios ancestrales, o aún con idioma propio, la situación es diferente, y bastante explosiva, aunque menos que lo que sería si no se diera la gran mezcla étnica existente. Los casos de Sendero Luminoso y de Chiapas pueden ser, en este sentido, indicadores de futuras realidades de mayor envergadura. Además, la explosión demográfica y urbana aún no ha terminado, aunque va a la zaga de lo que se perfila para el resto del Tercer Mundo. Sin embargo, la mayor experiencia de los países de América Latina con movimientos populistas les ha dado a éstos ocasión de integrarse al sistema político, abandonando las tácticas movilizacionistas y adoptando otras de tipo reformista, con la ya mencionada excepción de los movimientos aborígenes potencialmente separatistas. En cuanto a la población de origen africano, ella está mucho más integrada al resto de sus sociedades que en los Estados Unidos, pero ni allá ni acá parece haber tendencias hacia la acción política separada.

La formación de elites en países de la periferia

Sintetizando los casos y los análisis vistos hasta aquí, es posible definir el populismo como un movimiento político (i) basado en un sector popular movilizado, pero aún no suficientemente organizado de manera autónoma, (ii) dirigido por una elite enraizada en los escalones medios o altos de la sociedad, pero opuesta a la mayor parte de sus pares, y (iii) unificado mediante un vínculo carismático y personalizado entre dirigentes y seguidores. Este vínculo depende de factores sociales habitualmente presentes en países de la periferia; según cómo operen esos factores, se tendrán diversos tipos de populismo, principalmente como consecuencia del tipo de elites contrarias al statu quo incorporadas.[11]

Estas elites pueden estar ubicadas:

(a) en las clases altas o medias altas, o instituciones estrechamente ligadas a ellas, como los militares y el clero; o bien,

(b) en las bajas clases medias, o en sectores de la *intelligentsia.*

No incluyo a los estratos más bajos como fuente potencial de reclutamiento de esas elites, porque por definición el populismo es un movimiento

[11] Realicé un primer análisis de este fenómeno en mi artículo "Populism and reform in Latin America", en Claudio Veliz, comp., *Obstacles to change in Latin America,* Nueva York, Oxford University Press, 1965, que uso como base para una revisión y actualización en este capítulo. Véase al respecto Ernesto Laclau, *Politics and Ideology in Marxist Theory,* New York, New Left Review, 1977, cap. 4; Robert Dix, "Populism: Authoritarian and Democratic", *Latin American Research Review* 20, 2 (1985); Emilio De Ippola, "Ruptura y continuidad: claves parciales para un balance de las interpretaciones del peronismo", *Desarrollo Económico* 29, 115 (1989).

dirigido por sectores no obreros ni campesinos. Si un movimiento de masas estuviera dirigido por una elite enraizada en esos niveles, lo que se tendría sería algo distinto: una temprana explosión del tipo de *rebeldes primitivos* o, en condiciones más desarrolladas, un movimiento obrero socialista, que no sería populista, porque sus bases estarían altamente organizadas.

Es preciso ser cuidadoso al detectar la composición social de la elite movilizadora, evitando autodescripciones de base ideológica. Por cierto que las revoluciones "socialistas" que de hecho han existido han tenido como componente esencial una dirigencia de origen no obrero. De hecho, el *¿Qué hacer?* de Lenin debería considerarse, leído con suficiente cuidado, como el argumento estándar acerca de la necesidad de una tal elite en condiciones de relativo atraso.

Habiendo clasificado a las elites populistas según los estratos sociales de los que provienen sus miembros, conviene diferenciarlas según que esa elite sea:

(c) un sector pequeño y no legitimizado de su propio ambiente de origen, en cuyo caso tenderá a ser más radical; o bien,

(d) un grupo más representativo de su clase de origen, aunque raramente una mayoría de éste, en cuyo caso tendrá actitudes más consonantes con las que imperan en ese ambiente, o sea, serán bastante más moderadas.

Combinando estos criterios, se forma una clásica tabla de dos por dos. Pero, examinando los datos comparativos, se llega a la conclusión de que corresponde, a su vez, dividir el conjunto de países según su grado de desarrollo.

En naciones altamente industrializadas, en general no hay movimientos populistas, o, en todo caso, se dan fenómenos, como el fascismo y el nazismo, que fueron movilizadores, pero no realmente contrarios al statu quo, a pesar de que algunos sectores de las clases conservadoras se le opusieron. El fascismo y el nazismo definen como su principal enemigo al *comunismo* y a otros sectores obreros y de izquierda, mientras que el populismo está dirigido más bien contra las clases altas, aun cuando tenga también al comunismo y otras formas de izquierda como enemigos.

En la realidad latinoamericana, se puede señalar una diferencia entre los países relativamente más desarrollados, en términos de índices per cápita, como Argentina, Chile y Uruguay, y los demás. En las áreas más desarrolladas, la clase media es más numerosa, y a menudo bastante próspera, de manera que debería estar menos sometida a tensiones generadoras de frustraciones. Por otra parte, la clase obrera está más organizada, reduciendo la reserva de elementos *movilizados pero no organizados,* que, en cambio, abundan en lugares como Brasil y México.

De manera que he separado a los tres países *relativamente más desarrollados* del resto, y dentro de cada grupo, armé la tabla de dos por dos, lo que genera ocho casillas, algunas de las cuales pueden estar empíricamente vacías. El esquema ha sido pensado teniendo en cuenta la experiencia latinoamericana, pero tiene que poder aplicarse a otras partes del mundo también.

Las ocho categorías, definidas por el tipo de elite contraria al statu quo que incluyen, pueden verse en el cuadro 3.1, y se describirán a continuación.

Cuadro 3.1. Características de las elites ligadas a partidos populistas, según origen social y legitimación en clase de origen

	En países típicamente subdesarrollados		En países relativamente más desarrollados	
	Legitimadas	No legitimadas	Legitimadas	No legitimadas
Media Alta	1 De integración policlasista (PRI mexicano, Varguismo, P. del Congreso en India)	3 *Nasserismo* (Socialismo árabe, *Revolución Peruana, Socialismo Militar* en Bolivia 1930s)	5 Empíricamente vacío	7 *Peronismo* (Ibañismo en Chile, intentos abortados en Japón 1930s)
Media Baja	2 *Aprismo* (Perú APRA, Venezuela Acción Democrática)	4 Social revolucionarios (Revoluciones rusa, china, cubana, nicaragüense)	6 *Yrigoyenismo*	8 Empíricamente vacío

Partidos de integración policlasista

Ocupan la casilla 1, en países típicamente subdesarrollados, dirigidos por elites legitimadas de origen alto. Ésta no puede menos que ser una variante bastante moderada del populismo, si es que se le puede dar este nombre, debido a la gran cantidad de gente de buena posición económica que incluye. El Partido del Congreso de la India, en sus momentos de mayor esplendor, era un buen ejemplo, pues incluía un amplio sector de los estratos altos, sólidamente ubicados al frente de un movimiento popular independentista dirigido contra un poder extranjero. Posiblemente se pueda colocar también al Kuomintang en esta categoría, y a su sucesor, el partido gobernante de Taiwán. El Partido Revolucionario Institucional (PRI) mexicano, en su punto más sólido, entre los años treinta y los setenta, es otro caso típico, aun cuando, en sus orígenes, era de tipo más revolucionario, con elites basadas en niveles más bien bajos de las clases medias. Con el éxito, durante décadas, del desarrollo económico de ese país, muy mal distribuido por cierto, se generaron amplias capas burguesas que debían su fortuna, y por lo tanto, sus lealtades, al PRI, que, de esta manera, se fue cargando de elementos conservadores.

En el Brasil, la alianza varguista, que abarca desde la década de los cuarenta hasta la de los ochenta (Partido Social Democrático, PSD, más Partido Trabalhista Brasileiro, PTB, y su sucesor, el Movimento Democrático Brasileiro, MDB), también se puede considerar como de este tipo, al que he llamado *De integración policlasista,* y al que Hélio Jaguaribe caracteriza como *Bismarckiano.* Sin embargo, el elemento PTB es más afín al peronismo, tema que se verá en más detalle en el capítulo 6. Estos países tienen un numeroso campesinado, y sindicatos débiles, o muy controlados por el Estado.

Este tipo de partidos, capaz de integrar a la gran mayoría de los diversos estratos sociales, es bastante eficiente para promover el desarrollo económico, salvo que intervengan circunstancias externas (como en la China). Pero en la medida en que la economía crece, el peso de los nuevos intereses creados se hace tan grande, que lleva al partido hacia el conservadorismo, mientras que, con el progreso educativo, los sectores bajos se capacitan en mayor medida para manejar sus propias organizaciones. Es típico, entonces, que el Partido de integración policlasista sufra deserciones hacia su izquierda o su lado popular, como el Partido Revolucionario Democrático (PRD) de Cuauhtémoc Cárdenas. Por otra parte, dada la gran heterogeneidad del partido, y las contradictorias estrategias de sus dirigentes, un sector de derecha también se aparta, o los votantes de esa orientación se acercan a algún partido más claramente conservador, quizás de origen religioso, como el Partido de Acción Nacional (PAN) en México, o el Bharata Janata Party de la India. Así, el partido de integración policlasista, que frecuentemente es del tipo hegemónico, pierde su monopolio sobre el poder, y llega a ocupar el centro dentro de una división tripartita, como se verifica tanto en México como en la India. También es posible que se genere una bipolarización —no necesariamente violenta—, y que el partido que había sido de Integración policlasista llegue a ocupar la derecha, o alternativamente, la izquierda, de una nueva línea de clivaje, según se dé el juego de las estrategias y las coaliciones.

Partidos *apristas*

Ocupan la casilla 2, en países típicamente subdesarrollados, dirigidos por elites legitimadas de origen medio bajo. Este caso se diferencia del anterior en que su elite se alimenta en los niveles medios bajos o de *intelligentzia*, y tiene muy pocos simpatizantes en la burguesía, los militares o el alto clero. A menudo tiene considerable apoyo sindical, sobre todo en zonas de concentración minera o agroindustrial (especialmente en áreas azucareras), donde se generan intensos conflictos sociales. Sin embargo, los trabajadores en tales lugares no tienen mucha experiencia organizativa autónoma y necesitan liderazgo desde arriba. Las clases medias empobrecidas, en general provinciales, y los intelectuales proveen, entonces, la espina dorsal del movimiento, que se da una cabeza carismática como forma más fácilmente comprensible por la masa. El carácter *legitimizado* de esta elite debe ser interpretado en referencia a sus propias clases de origen, en las bajas clases medias, no en los estratos altos, para quienes pueden ser un enemigo jurado. La Alianza Popular Revolucionaria Americana (APRA) es el caso arquetípico, tanto que, en aras de la brevedad, le he dado su nombre a la categoría. Por décadas fue el principal adversario del *Establishment*, para el cual era "peor que los comunistas", por su mayor fuerza y sus tácticas ocasionalmente terroristas.

Otros casos son Acción Democrática (AD) de Venezuela, el Movimiento de Liberación Nacional (MLN) de Costa Rica, y el Movimiento Nacionalista Revolucionario (MNR) de Bolivia. Si un partido de este tipo llega al poder de manera violenta, destruyendo las bases de gran parte de las clases dominantes, como en Bolivia en 1952, es muy probable que genere intereses creados nuevos, acercándose al modelo de partido de integración policlasista. El MNR boliviano estaba evolucionando en esta dirección, pero su heterogeneidad y la situación económica desesperante del país ocasionaron una serie de intervenciones militares, cortando el "camino mexicano". Al volver la democracia en 1983 el MNR ha quedado como un partido importante, pero con serios rivales a su derecha y a su izquierda, o hacia su lado popular, donde se han formado varios movimientos neopopulistas.

En cuanto al aprismo peruano, llegó al poder en 1985 con Alan García, pero manejó tan mal la economía, y se vio tan afectado por la corrupción, que fue prácticamente barrido de la escena electoral en 1990. Esto le permitió a Alberto Fujimori reemplazar al aprismo como el partido de los humildes, contra la alianza conservadora que llevaba a Vargas Llosa de candidato; pero al acceder a la presidencia, se reorientó hacia la derecha. El movimiento electoral, casi suprapartidario, promovido por Fujimori y validado en elecciones posteriores en que fue reelegido es un fenómeno nuevo e inesperado. Yo lo clasificaría como partido de integración policlasista, que ha podido retener su electorado a pesar de sus políticas neoliberales, y se ha ganado el apoyo del empresariado y otros grupos de derecha que abandonaron el Movimiento Libertad ideado por Vargas Llosa. Aunque no es recomendable hacer predicciones, parecería difícil que el fujimorismo se perpetúe como partido, una vez terminado el mandato de su creador y no sería nada raro que renaciera una Derecha presentable electoralmente y que a la izquierda, o del lado popular, se volviera a perfilar una Apra revitalizada, o una Izquierda de raíces marxistas, pero moderada y convertida a la socialdemocracia.

Nasserismo

Ocupa la casilla 3, en países típicamente subdesarrollados, dirigido por elites no legitimadas de origen medio alto. Entre los sectores medios altos, o sus componentes militares o clericales, una minoría bastante radicalizada aunque pequeña puede surgir, muy enfrentada con el statu quo preexistente, y por lo tanto, no legitimada en esos ambientes. Los sectores civiles más acomodados de las clases medias altas no estarán demasiado atraídos hacia este grupo de activistas (si lo estuvieran, el escenario se retrotraería a la casilla 1), pero los usualmente más angustiados hombres de armas o del clero estarán más cercanos a la nueva mentalidad. Esto es particularmente cierto en países no occidentales, donde los instintos por lo general conservadores de estos grupos se ven superados por la formación de actitudes antiimperialistas, como ya se vio antes, que los inducen a adoptar estrategias de movilización de masas. A esto le sigue una ideología de partido único, adoptando, eventualmente, elementos de "socialismo", árabe o de otro tipo, con tanta convicción como la del emperador Constantino en un lance parecido. Cuando ha habido una lucha de guerrillas por la independencia, la variedad de *nasserismo* que se instala es más radical, como en Argelia, y se acerca al tipo social revolucionario.

Estos sistemas, después de haber llegado al poder movilizando a las masas, tienden a consolidar una nueva clase dominante, acercándose al tipo de integración policlasista, o bien, convirtiéndose en un simple nuevo partido conservador, ya para nada populista, aunque pueda siempre apelar, en alguna medida, a sus viejos laureles. Esto es lo que está pasando en Argelia, donde se ha formado un nuevo movimiento movilizacionista, esta vez dirigido por elementos religiosos fundamentalistas. En Irán, también el régimen de Khomeini llegó al poder enfrentando al gobierno decididamente conservador aunque modernizante del Shah. El movimiento khomeinista, después de una etapa radicalizada (ubicable, quizás, en las casillas 2, *aprista,* o 3, *nasserista* de esta clasificación), evoluciona claramente hacia un tipo de integración policlasista, y no sería raro verlo pronto transformado en un partido conservador.[12] Debe señalarse aquí que el hecho de poseer, ya desde sus inicios, una ideología fuertemente conservadora o reaccionaria no es suficiente para caracterizarlo como un típico partido conservador, pues tuvo un aspecto de movilización social y de lucha contra el statu quo existente que fueron esenciales para su éxito, y que de ninguna manera son compatibles con su caracterización como conservador.

En América Latina, los regímenes *nasseristas* no han sido comunes, quizás porque los militares no se ven impelidos con tanta frecuencia como en otras partes del Tercer Mundo, hacia posiciones antiimperialistas o antioccidentales. Por otra parte, la mayor modernización de América Latina, con sus más sólidos sindicatos y otras organizaciones populares, inquieta a los guardianes del orden y los lleva a actitudes conservadoras y antimovilizacionistas, expresadas en las múltiples dictaduras que ha sufrido el continente. Sin embargo, hay algunas excepciones significativas, que no por casualidad se han dado en algunos de los países de menor grado de desarrollo, como el Perú y Bolivia.

Partidos socialrevolucionarios o *fidelistas*

Ocupan la casilla 4, en países típicamente subdesarrollados, dirigidos por elites no legitimadas de origen medio bajo. En algunos de estos países, la situación de las clases medias bajas es tan angustiosa, que un sector de

[12] Los términos de "aprista" o "nasserista" pueden parecer anacrónicos o fuera de lugar para caracterizar un movimiento político no latinoamericano y no dirigido por militares.

ellas adopta actitudes muy frontalmente adversas, tanto ante el *Establishment* y los militares como ante la mayor parte de la gente de su propio origen social de clase media. La violencia de estas actitudes, mucho más marcada que en el caso aprista, aleja a quienes las adoptan de la mayoría de los miembros de sus propias clases de origen, y de ahí el adjetivo de *no legitimada* de la clasificación.

El movimiento revolucionario cubano es un ejemplo paradigmático de este tipo de partido. Aunque tuvo desde el comienzo, o pronto creó, un cierto apoyo popular, su dinamismo venía de un grupo reclutado en la *intelligentsia* y otros sectores disconformes de las clases medias. Esta banda de revolucionarios no se limitó a desempeñar el rol de chispa que incendia la pradera, sino que se transformó en el núcleo de una nueva clase social dominante, la burocracia.

Otras revoluciones comunistas siguieron la misma pauta, desde la China hasta Indochina y Rusia. Los movimientos que las protagonizaron eran de tipo *movilizacionista,* con una pequeña pero fuertemente dedicada elite dirigente y un cuadro de revolucionarios profesionales capaces de atraer a una amplia masa, en lo que era, de hecho, una variante decididamente verticalista de populismo, ideologías aparte, aunque no estoy dispuesto a pelearme por los nombres. Sin embargo, usando la clasificación aquí expuesta, se puede decir que el movimiento que llevó a Fidel Castro al poder fue, en un inicio, de tipo más bien *aprista* (y fue apoyado por dirigentes de esa línea, como Rómulo Betancourt de Venezuela), y sólo después se fue orientando de manera más radical hacia el tipo social revolucionario. Los varios movimientos guerrilleros latinoamericanos son, claro está, de este mismo tipo.

Por el otro lado, los partidos Comunistas de Europa Occidental y del Japón (y de Chile) son de otro tipo, pues su base es una clase obrera muy organizada y con alto nivel educativo, más un sector de la *intelligentsia,* y un poco de apoyo campesino. Estos partidos Comunistas no son de naturaleza populista, y se los puede denominar Socialistas obreros.

Una vez que un partido social revolucionario está en el poder, comienza a reemplazar a la clase dominante destruida con una nueva, incorporando, de esa manera, aspectos conservadores. Pero las memorias revolucionarias siguen vivas por bastante tiempo, y el partido adopta la forma de integración policlasista (integración de las clases postrevolucionarias, claro está), lo cual es más que evidente en la China, donde no sería raro que en un futu-

Mantengo los nombres *breves* de las categorías para evitar expresiones largas y pesadas, apelando al lector para que haga las necesarias puestas a punto, o una eventual sugerencia de nuevos nombres más abarcadores.

ro evolucionara en dirección directamente neoconservadora, pero eso implicaría transformaciones y enfrentamientos internos que están fuera de límites en este libro.

Pasamos ahora a los siguientes cuatro casos, en países relativamente más desarrollados, como Argentina, Chile y Uruguay, o el Japón de entreguerras.

La primera casilla (número 5, país relativamente más desarrollado, elite legitimada de origen medio alto) está vacía, lo que es razonable, pues las condiciones económicas en esos países alimentan a una clase media alta o alta bastante satisfecha, y, por lo tanto, conservadora, y un sindicalismo bastante sólido, que tiende a formas de acción socialistas o comunistas, dentro del formato que hemos llamado socialista obrero, pero no populistas. Hay, por lo tanto, un importante elemento organizativo en estos países, que se aproxima a la experiencia europea.

El conservadorismo social básico de las clases altas y también de gran parte de las medias se extiende a los militares y al clero, ejerciendo sobre ellos una fuerte presión hacia la conformidad. Pero lo más usual en estos países es que no se puede esperar la formación de alguna coalición anticonservadora anclada en los escalones altos de la pirámide, con pocas excepciones, que examinaremos más adelante.

Yrigoyenismo

Ocupa la casilla 6, en países relativamente más desarrollados, dirigido por elites legitimadas de origen medio bajo. Por las razones ya apuntadas, en estos países, la clase media no está en una posición tan antagónica con respecto al sistema social dominante, del cual es parte. Políticamente, puede tener quejas, pero no tiene a su disposición un campesinado que movilizar, y los trabajadores urbanos poseen ya sus propias organizaciones. La baja clase media, por lo tanto, a lo sumo forma partidos centristas, como los Radicales chilenos o argentinos, los Demócrata Cristianos, o los Colorados del Uruguay. Estos partidos, en general, no son de tipo populista, aunque, en algunos casos, pueden adquirir una cierta pátina de ese tipo, como en la Argentina bajo la conducción de Hipólito Yrigoyen. Los componentes movilizacionistas de Yrigoyen sólo se revelaron en escala significativa en su segunda presidencia, de corta duración. En Chile, Arturo Alessandri, dirigente de un sector escindido del tronco Liberal, aliado con los Radicales, apareció también como líder de masas por un tiempo, pero pronto evolucionó hacia formas más moderadas, sin dejar una herencia política en el sector popular (su partido y sus hijos fueron parte del conjunto conservador-liberal en el Chile de los años cuarenta hasta la actualidad). Ni Yrigoyen ni Alessandri tuvieron un fuerte componente sindical en su organización partidaria, aunque, por cierto, negociaron y dialogaron con ese sector social.

Partidos *peronistas*

Ocupan la casilla 7, en países relativamente más desarrollados, dirigidos por elites no legitimadas de origen medio alto. Como ya se señaló, en los países de desarrollo relativamente más avanzado, es poco frecuente encontrar elites contrarias al statu quo en las clases medias altas o entre los militares o el clero. Sin embargo, hay excepciones, y la principal es la Argentina. Circunstancias sociales y políticas muy peculiares deben de haber existido en un país tan urbanizado y próspero como lo era durante la Segunda Guerra Mundial, para haber generado una elite capaz de dirigir un movimiento populista muy enfrentado con la mayor parte del *Establishment*. De hecho, hasta ese momento, el espectro político se parecía al chileno y al de varios países europeos, con un Conservadorismo más o menos liberal entre las clases altas, un Radicalismo centrista y moderado en los niveles medios, y un activo conjunto de izquierda, socialista y comunista, con conexiones sindicales sólidas y amplio voto en centros urbanos grandes, para completar el panorama.

La peculiaridad residía en que la Argentina era, en ese tiempo, el país más desarrollado, y posiblemente más poderoso, de América Latina, una verdadera Australia latina, compitiendo con el Brasil por el predominio continental. Brasil optó tempranamente por la alianza norteamericana, mientras que la Argentina prefirió esperar a ver cómo se destruían mutuamente las grandes potencias para entrar a tallar con peso propio ante el desastre mundial.

La situación ha sido descripta muchas veces. Básicamente, contribuyó a formar una agresiva elite compuesta por un gran sector de militares, una buena parte de la Iglesia, de preferencias falangistas, los nacionalistas de derecha autoritaria, y algunos empresarios industriales. Todos estos querían formar un Estado de Defensa Nacional, capaz de jugar un rol en la misma guerra mundial, o en sus imprevisibles secuelas. Para esto había que estimular la industria, para tener capacidad armamentista y, además, educar y alimentar mejor a los futuros soldados.

La mayor parte de las clases conservadoras, basadas en la propiedad de la tierra y la asociación con Gran Bretaña, se definieron muy decididamente en contra de este proyecto, y lo mismo hizo la mayoría de la *intelligentsia,* y los partidos existentes de centro y de izquierda, además de significativos sectores del clero y las Fuerzas Armadas, especialmente, en la Marina. De esta manera, se crearon las condiciones para la emergencia de una elite contraria al statu quo, con una nueva aunque nada extraña combinación de actitudes nacionalistas y populares. Perón fue su líder, y habiendo llegado al poder con el golpe de 1943, en su lucha con sus rivales tuvo que enfatizar cada vez más el elemento de movilización popular, que no era, estrictamente hablando, imprescindible para el proyecto, pero que fue facilitado por la prosperidad generada por la guerra.

Muy probablemente Perón deseaba formar un partido de integración policlasista, su propia versión de lo que el fascismo estaba haciendo en Italia, o el PRI en México. Sin embargo, el equilibrio de fuerzas existente en la Argentina no le permitió realizar este sueño. En un país parecido a México esto habría sido más fácil, porque las clases populares, en ese caso, habrían tenido mucho menos peso político, y podrían haber sido movilizadas como furgón de cola de la burguesía, de manera de no oponerse demasiado al *Establishment.* En la Argentina, ocurrió lo contrario: una profunda división fue creada, forzando a Perón a una dosis excesiva de agitacionismo, por encima de lo que él hubiera deseado. Así, pues, se generó una intensa polarización. De un lado, quedó una coalición *antifascista,* que incluía a las fuerzas conservadoras (mal representadas desde un punto de vista orgánico), los partidos de clase media, y la mayor parte de los cuadros de la muy reducida Izquierda. Del otro, Perón nucleó a elementos disconformes de las viejas elites políticas, poco numerosos, pero con un gran aporte de apoyo de masas, que rápidamente canalizó en sindicatos nuevos o muy renovados, cooptando a parte de la antigua dirigencia y generando una nueva, deslumbrada con la oportunidad de contar con apoyo estatal para sus reivindicaciones tan largamente postergadas. Volveremos más adelante a una consideración de las características y las tendencias evolutivas del peronismo.

En algún sentido, el peronismo es un equivalente, en un país más desarrollado, del nasserismo, al que precedió por varios años. En Chile, el general Carlos Ibáñez también creó, en 1952, un movimiento populista muy inspirado en el modelo trasandino, pero luego de llegar al poder en elecciones libres, su apoyo se evaporó en un par de años, y la previa estructura partidaria volvió por sus cabales. En otros países de América Latina, hubo también intentos, por parte de jefes militares, de forjar la alianza de *pueblo y ejército,* pero sin éxito.

El Japón, durante los años treinta, provee un interesante caso de un intento, por parte de una minoría cívicomilitar muy convencida, de formar un populismo nacionalista, en parte inspirado en ejemplos fascistas, incluso el de Alemania, y oscilando entre un *socialismo nacional* y un *nacionalsocialismo* que interpretaba a su manera el caso alemán. Ahí también hubo un énfasis en crear un Estado de Defensa Nacional, y un reclutamiento de una heterogénea elite compuesta de militares medios e intelectuales que se veían como émulos de los míticos samuráis. Pero en ningún momento fue capaz este grupo de formar un partido político, ni de suscitar un apoyo popular signficativo. Esto quizá se debió en buena parte a la condición básicamente no movilizada de la población, aún muy rural, bajo el control de los notables locales, y a las convicciones conservadoras de gran parte de la población, incluso, las clases medias.[13]

En el Brasil el varguismo está a caballo entre un fenómeno de tipo de integración policlasista (que describe la coalición PSD-PTB), con tendencias a robustecer su componente PTB, que es más semejante al peronismo, aunque con mucho menos apoyo popular. En el capítulo 6 volveremos sobre este tema.

La siguiente casilla (número 8, país relativamente más desarrollado, elite no legitimada de origen medio bajo) está empíricamente vacía. En los sectores medios bajos de un país moderadamente desarrollado hay sin duda fuerzas de disconformismo. En un país como la Argentina, éstas están, hoy día, a un alto nivel, después de décadas de caída del nivel de vida (sobre todo respecto de los países centrales). Grupos de este origen han formado agrupaciones violentas, algunas de ellas guerrilleras, de raíces tanto peronistas como marxistas, y lo mismo ha ocurrido en el Uruguay, y en menor medida en Chile. Sin embargo, en contraposición a lo que ocurre en un país más típicamente subdesarrollado, estas elites carecen de un campesinado al cual apelar, y en cambio, encuentran una clase obrera ya organizada y bastante moderada en su dirigencia, con muchos intereses creados, que se le enfrenta. El resultado es que los sectores disidentes se concentran en el ambiente intelectual, incapaz de desafiar realmente el orden dominante.

Si las condiciones cambiaran, empeorando sustancialmente el nivel de vida popular, esta *intelligentsia* de clase media podría establecer ligazones con una clase obrera empobrecida y radicalizada. Pero esto no es muy pro-

[13] Véase Gordon Mark Berger, *Parties out of Power in Japan,* 1931-1941, Princeton, Princeton University Press, 1977; Richard Storry, *The Double Patriots: A Study of Japanese Nationalism,* 2a. ed., Westport, Conn. Greenwod Press, 1973; Leslie Russell Oates, *Populist Nationalism in Prewar Japan: A Biography of Nakano Seigo,* Sidney, Allen and Unwin, 1985. Michael L. Conniff, *Latin American Populism in Comparative Perspective,* Albuquerque, University of New Mexico Press, 1982.

bable, y en todo caso, dada la experiencia organizativa de los sindicatos y otras organizaciones populares, el resultado sería más bien un movimiento del tipo socialista obrero, con estructuras partidarias organizadas, medios no violentos, y un enfoque cada vez más pragmático. Eso es lo que está pasando en el Brasil con el Partido dos Trabalhadores (PT), nacido en el área industrial del Gran San Pablo, pero no se trataría de un movimiento populista, ni socialrevolucionario.

En los siguientes capítulos se volverá a hacer referencia a esta clasificación de movimientos populistas, diferenciándolos de otros de base popular pero construidos más sobre la organización autónoma que sobre la movilización de masas por parte de elites contrarias al statu quo.

4

Partidos políticos y transición democrática en Europa Oriental

Las transformaciones que se han estado dando en Europa Oriental nos han provisto de una gran cantidad de materiales comparativos sobre la consolidación de regímenes democráticos y el tipo de partidos políticos que se generan en esas condiciones. A la espera de que África y Asia nos sigan inundando de más datos, es difícil sustraerse a la tentación de hacer desde ya algunas exploraciones, contrastando con la situación en América Latina, con la que existen muchos parecidos, por el hecho de formar parte de una periferia muy ligada étnica y culturalmente a los centros de alto desarrollo. En ambas áreas, la historia de los intentos de institucionalización democrática es larga, a pesar del paréntesis creado por los regímenes comunistas.[1]

Etnia, nacionalidad, religión y clase social como bases del conflicto político

Los acontecimientos de los países del Este han puesto en el tapete la gran importancia que tienen, como determinantes del conflicto social y de los alineamientos partidarios, las diferencias étnicas, nacionales (lo que incluye el idioma) y religiosas, que incluso han sido responsables de la ruptura de varios países en sus componentes esenciales. La violencia de las luchas resultantes nos sensibiliza acerca de la magnitud de los abismos que también se encuentran en varias partes de Occidente, como España, Irlanda o Bélgica. En América Latina, la gran mezcla racial hace que ese tipo de enfrentamientos no pase al primer plano de la política, aunque con el mayor desarrollo educacional y urbano de amplios sectores de origen indígena, africano o asiático, ellos pueden salir de su relativa somnolencia para pasar a demandar un lugar propio en el esquema político-partidario, de manera legal o violenta. Mucho de eso ocurre ya en las ex Guayanas, y quizás ese

[1] Henry Bogdan, *Histoire des pays de l'Est, des origines á nos jours*, Paris, Perrin, 1991; Bogdan Szajcowski, comp., *New Political Parties of Eastern Europe and the Soviet Union*, Harlow, Essex, Longman Current Affairs, 1991.

componente explica algo del origen de Sendero Luminoso en el Perú. Paradójicamente, el progreso económico y la modernización, al poner más elementos organizativos y de autoconciencia al alcance de amplias capas de la población, pueden incrementar más bien que disminuir este tipo de clivajes. La mezcla étnica, sin embargo, es el principal factor que diferencia a estas áreas de la pesadilla de Europa Oriental y de la ex Unión Soviética. Pero en países donde el porcentaje de población aborigen *pura* es alto, la futura formación de fuerzas políticas étnicas o aun separatistas no puede dejarse de lado.[2]

En Europa Oriental, de todos modos, una vez rotas las unidades nacionales más heterogéneas, el peso de las minorías étnicas está en casi todos los países bastante acotado, exceptuando algunas partes de la ex Yugoeslavia, y quizás, Transilvania. Es preciso entonces tener en cuenta a la estratificación social como criterio diferenciador de formaciones partidarias.

Tanto en América Latina como en Europa Oriental, hay fuerzas que, en el largo plazo, tienden a crear una estructura partidaria parecida a la de Europa Occidental o los Estados Unidos. Por el momento, sin embargo, estos países se diferencian de los centrales por su situación periférica y por su dependencia, que son suficientemente reales, aun cuando sus efectos no sean tan totales como a menudo se ha sostenido.

Polonia y Checoeslovaquia: un contraste de estructuras sociales

Demos ahora una mirada a la situación en Europa Oriental, comenzando por su piso alto, o sea Polonia, Hungría y la ex Checoeslovaquia. En casi todas las dimensiones del desarrollo económico, social y cultural, hoy y en el momento de la formación de los regímenes comunistas, Checoeslovaquia aparece en primer lugar, luego Hungría y finalmente Polonia. El contraste es particularmente marcado entre la muy urbana, educada e industrializada Checoeslovaquia (sobre todo la actual República Checa), y la muy rural Polonia, donde en tiempos prerrevolucionarios la mayoría vivía

2 Sándor Balogh, "Population Removal and Population Exchange in Hungary after World War II," en Ferenc Glatz, comp., *Ethnicity and Society in Hungary,* vol. 6 de Etudes Historiques Hongroises, Budapest (1990); László Kátus, "Multinational Hungary in the Light of Statistics," ibidem; András Siklos, *Revolution in Hungary and the Dissolution of the Multinational State: 1918,* Budapest, Akademiai Kiadó, 1988; Bilal N. Simsir, *The Turks of Bulgaria,* 1878-1985, Londres, K. Rustan & Brother, 1988.

en aldeas a la sombra del cura, de los campesinos más ricos, y de los notables pueblerinos.[3]

Inmediatamente después de la Segunda Guerra Mundial, el analfabetismo era prácticamente desconocido en Checoeslovaquia, mientras que alcanzaba a un 9% en Hungría, 25% en Polonia y Rumania, 31% en Bulgaria y 80% en Albania. En Yugoeslavia, durante los años treinta, alcanzaba al 46%, y había bajado sólo al 20% en 1961. Ese año, el 2% de Eslovenia contrastaba con el 12% de Croacia, el 22% de Serbia, el 25% de Macedonia y el 32% de Bosnia.[4] Como bien podría esperarse, en 1946 Checoeslovaquia tenía un movimiento sindical fuerte, y un partido (en este caso, comunista) ligado a la clase obrera organizada y a amplios sectores de la *intelligentsia.* En elecciones relativamente libres, alcanzó, en 1946, al 38% del total, enfrentado a partidos conservadores y centristas, además de otras formaciones socialdemócratas.[5]

En Hungría, el Partido Comunista también era importante, y podía basarse en la tradición del régimen revolucionario de Bela Kun de 1919. En 1947, en elecciones pasablemente competitivas, llegó a ser el más votado, con el 22% del total, cifra que sube al 45% si se incluye a los Social Demócratas y Nacionales Campesinos estrechamente asociados al Partido Comunista, y que pronto fueron absorbidos por él. A la derecha, sin embargo, existía un mayoritario electorado moderado y de centro derecha, nucleado principalmente, en el Partido de Pequeños Propietarios (campesino), que luego sufrió divisiones y hostigamiento oficial.[6]

Polonia nunca tuvo un sistema democrático consolidado durante el período de entreguerras. En 1926 sufrió una intervención militar dirigida por Jozef Pilsudski, un militar con antecedentes socialistas y una carrera hecha al frente de tropas irregulares durante la Primera Guerra Mundial, empeñado en conseguir la formación de una nación independiente. Su golpe de Estado de 1926, eufemísticamente bautizado *demostración militar,* inauguró el

3 Hans-Georg Heinrich, *Hungary: Politics, Economics and Society,* Londres, Pinter Publishers, 1986; Lajos Izsák, "The Establishment of the Single-Party System in Hungary," en Ferenc Glatz, comp., *The Stalinist Model in Hungary,* en Etudes Historiques Hongroises vol. 6, Budapest (1990); Peter Pastor, *Hungary Between Wilson and Lenin: The Hungarian Revolution of 1918-1919 and the Big Three,* Boulder, East European Quarterly and Columbia University Press, 1976; Abraham Brumberg, comp., *Poland: Genesis of a Revolution,* Nueva York, Vintage Books, 1986.

4 Nigel Grant, *Society, Schools and Progress in Eastern Europe,* Oxford, Pergamon Press, 1969.

5 Hans Renner, *A History of Czechoslovakia since 1945,* Londres, Routledge, 1989, págs. 5, 163; John F. Bradley, *Politics in Czechoslovakia, 1945-1971,* Washington, DC, University Press of America, 1981.

6 Sándor Balogh y Sándor Jakab, *The History of Hungary After the Second World War,* Bu-

régimen denominado de la *Sanacja* (Salvación Nacional), que se dio una tenue estructuración legal, y duró hasta la ocupación alemana. En contraste con Hungría y Checoeslovaquia, Polonia no tenía un Partido Comunista de consideración, pues la Izquierda estaba representada por un Partido Socialista de inclinaciones populistas, que había estado dirigido por Pilsudski durante la primera parte de su carrera, y que había apoyado el golpe de 1926 (al igual que los Comunistas), aunque pronto pasó a la oposición. El golpe de 1926 había estado dirigido contra los conservadores y autoritarios Demócratas Nacionales, de hecho, protofascistas y fuertemente antisemitas, tema éste muy central en la historia del país. La derecha del espectro político en aquella época estaba ocupada, además del Partido Democrático Nacional, por el Partido Campesino, ambos capaces de obtener buenas elecciones.[7]

Cuando terminó la guerra, la ocupación rusa permitió al Partido Comunista local tomar la dirección del gobierno. Forzó a los antiguos Socialistas, y a grupos de pequeños campesinos y "demócratas" a formar una lista única, y pronto se obligó a los Socialistas a unificarse con el Partido Comunista (denominado desde entonces Partido Obrero Unido Polaco). Los más importantes miembros del Partido Campesino de preguerra fueron perseguidos y reducidos al exilio. Pero siguieron existiendo dos partidos aliados permanentes del régimen, el nuevo Partido Campesino Unido y el Partido Democrático, supuestamente representante de la pequeña burguesía artesanal. De hecho, estas dos organizaciones mantuvieron bastante autonomía, dentro de lo que era el régimen, y después de su liberalización, han cumplido roles importantes, sobre todo, el Campesino.

Es interesante observar la expansión numérica de la afiliación al Partido Comunista, que contrasta con lo que es usual en organizaciones de este tipo, en que se ponen muchas trabas y filtros a la entrada de nuevos elementos. El partido, después de las pérdidas sufridas a manos de Stalin y de Hitler por igual, multiplicó por diez su tamaño en el año 1944, y luego lo duplicó al siguiente. En 1948 su ya millón de afiliados aumentó con los 300.000 del Partido Socialista, forzado a unirse. El resultado, inevitablemente, sería un partido con menos convicciones ideológicas que otros más foguea-

dapest, Corvina, 1986; Mihaly Karoly, *Memoirs of Michael Karoly,* Londres, Jonathan Cape, 1956; Bennett Kovrig, *Communism in Hungary: From Kun to Kadar,* Stanford, Stanford University Press, 1979; Ferenc Poloskei, *Hungary After Two Revolutions, 1919-1922,* Budapest, Akademiai Kiadó, 1980.

[7] Norman Davies, *God's Playground: A History of Poland,* Nueva York, Columbia University Press, 1982, vol. 2, págs. 421-426; Jerzy Wiatr, *The Soldier and the Nation: The Role of the Military in Polish Politics,* 1918-1985, Boulder, Westview Press, 1988, págs. 47, 52-54. 62-68.

dos, y lleno de aspirantes y gente claramente orientada hacia el poder más que hacia la ideología.[8]

Se podría pensar que las bases sociales de la derecha, en los tres países, habían sido seriamente debilitadas durante el régimen comunista. En parte, esto es cierto, por la expropiación de la burguesía, pero la persistencia de las actitudes en circunstancias de este tipo es realmente sorprendente. Los individuos de las clases expropiadas y sus familias mantienen o aun exacerban sus actitudes, y la masa de los estratos intermedios y campesinos, que tradicionalmente seguían a esa Derecha, también pueden mantener muchas de sus actitudes tradicionales.

Por otra parte, las convulsiones revolucionarias generan, en éste como en otros casos parecidos, una nueva Derecha, pues el partido hegemónico se convierte en canal de ascenso social, y coloca a sus mejores o más resueltos militantes en posiciones de privilegio. Algo así ocurrió en México con el PRI, y también en Polonia se puede decir que el Partido Obrero Unido Polaco (POUP) se convirtió en un partido de integración policlasista, integrador, claro está, de las clases postrevolucionarias. Tan así es, que el partido puede llegar a estar más anclado en los estratos altos y medios que en los bajos o en la *intelligentsia,* que, en general, queda frustrada en sus expectativas. Esto no quiere decir que el partido deba necesariamente perder el apoyo popular, pues varias fórmulas políticas de tipo *integrativo* policlasista son posibles, tanto en países capitalistas como "socialistas".

En 1978, el propio partido realizó una encuesta sobre la distribución ocupacional de los aproximadamente tres millones de afiliados; el resultado se aprecia en el cuadro de la página 90.

En 1981, justo antes de la crisis que llevó al general Jaruzelski al poder —tema al que volveremos—, otra encuesta, realizada en un momento de muchas libertades públicas, preguntó si era conveniente robustecer el rol del Partido Obrero Unido Polaco en el gobierno, que, para algunos, estaba entregando demasiadas esferas de acción autónoma al movimiento Solidaridad. La renovación de actitudes se evidencia en el hecho de que, aun entre los afiliados a ese partido, sólo un 49% creía que había que darle más injerencia directa en el gobierno. Entre los no afiliados, los altos ejecutivos encuestados creían necesario robustecer el rol del partido en un 31%, cifra

[8] George Kolankiewicz y Paul G. Lewis, *Poland: Politics, Economics and Society,* Londres y New York, Pinter Publishers, 1988, pág. 66; Jack Wasilewski, "The Patterns of Bureaucratic Elite Recruitment in Poland in the 1970s and 1980s", en *Soviet Studies,* vol. 42, Nº 4 (1990); Mary Cline, "The Demographics of Party Support in Poland", en RFE/RL Report, 10/9/1993.

Partido Obrero Unido Polaco. Distribución ocupacional de afiliados.

Obreros y similares	38,0%
Campesinos	9,0%
Educadores	5,6%
Administradores, técnicos, ingenieros, gerentes y similares	15,9%
Otros (un eufemismo para miembros de la *nomenklatura* específicamente política, la policía, servicios, fuerzas armadas)	29,6%
Resto	1,3%

Fuente: Antoni Sulek, "The Polish United Workers Party: From Mobilization to Non-Representation", *Soviet Studies*, vol. 42, Nº 3 (1990), pág. 504.

que bajaba al 26% entre los profesionales e individuos de alta educación, y al 15% y 17%, entre los obreros y otros sectores populares. La diferencia refleja la dificultad del partido gobernante de mantener sus raíces obreras, aunque no las perdió de manera definitiva. El hecho, de todos modos, es que la "burocratización" del partido le hizo descuidar lo que ocurría en los niveles más bajos de la estratificación social, sobre todo entre la gran masa de recién venidos del campo, que constituyeron el público del sindicato movimiento Solidaridad, creado en medio de una huelga en los astilleros de Gdansk (ex Danzig) en agosto de 1980.[9]

Es particularmente significativo el contraste de la estructura social polaca con los dos países más desarrollados del piso superior europeo oriental, Hungría y Checoeslovaquia, especialmente, la actual República Checa. En ellos existía ya una importante clase media urbana, antes del acceso comunista al poder en la inmediata posguerra. Es así que no había tantas posiciones abiertas para los recién llegados. Cierto es que las posiciones más altas fueron abiertas por la fuerza a través de la liquidación de la gran burguesía, y, por otra parte, las universidades fueron rigurosamente purgadas para abrir camino a los nuevos talentos. Pero la masa de la clase media apolítica y pragmática se las arregló para sobrevivir, reteniendo para sí las posiciones de relativo privilegio que ocupaban. Muchos se adaptaron al nuevo régimen, y aun se afiliaron al partido por oportunismo —aunque no era

[9] Lena Kolarska Lena y Andrzej Rychard, "Political and Economic Interests", *Polish Sociological Bulletin* vol. 80, Nº 4 (1987), pág. 77.

tan fácil hacerlo—, pero la nueva amalgama nunca fue muy sólida. Por ello, el proceso de transformación de un partido tradicionalmente basado en la clase obrera a uno de tipo *integrativo* policlasista nunca se dio de manera tan clara como en Polonia.

En Polonia el gran desarrollo industrial y urbano transformó el país hasta hacerlo prácticamente irreconocible, a diferencia de lo que pasaba en la Bohemia checoeslovaca. Esto era claramente percibido por los investigadores en ciencias sociales. En un volumen compilado en 1966 por uno de estos últimos, el polaco J. Szczepanski, para demostrar la compatibilidad entre investigación social y marxismo, se contrastaba la situación de preguerra con la vigente en esa, por entonces próspera, etapa, transcurridos unos veinte años de la ocupación rusa. Se registraba, desde ya, que se había pasado de tener un 60% de la población económicamente activa dedicado a la agricultura a sólo un 40%, lo que había alterado el tipo de población de las ciudades. Se señalaba que, durante el período de entreguerras, por contraste, el tamaño del proletariado prácticamente no cambiaba, lo que facilitaba el trabajo organizativo en comunidades estables, donde era alto el nivel de "conciencia socio-política de la clase en su conjunto". Con los grandes cambios de posguerra, y el ascenso de muchos militantes a posiciones más altas, "en cierto sentido político se debilitaba a la clase obrera que quedaba en las fábricas". Al mismo tiempo "la ola de migrantes creada por la expansión de la industria comenzó a dominar en ciertos centros y plantas", sobre todo, las nuevas grandes concentraciones industriales, por contraste con lo que ocurría en áreas más tradicionales, industrializadas ya desde hacía tiempo, como Lodz y la antes alemana Silesia, así como en algunas fábricas de Varsovia y Cracovia.

El autor afirmaba que "el gran flujo de nueva gente a la clase obrera crea serios problemas sociales y políticos", incluyendo entre esos nuevos entrantes no sólo a los antiguos campesinos, sino también a miembros de la pequeña burguesía desplazada o en descenso social. Un estudio realizado en 1962 entre gran cantidad de obreros de la industria y la construcción socializadas demostraba que sólo entre un 17% y un 19% de ellos habían sido obreros manuales urbanos antes de la guerra; los demás tenían de otros orígenes.[10]

La típica experiencia latinoamericana se reproducía, y sus consecuencias no podían ser demasiado diferentes. El autor del artículo citado señala la peligrosidad para el régimen de ese flujo de una *masa disponible,* como diría

10 Wlodimierz Wesolowski, "Changes in the class structure in Poland", en Jan Szczepanski, comp., *Empirical sociology in Poland,* Varsovia, Polish Scientific Publishers, 1966.

Gino Germani, a cuyos miembros no trata demasiado amablemente, pues los considera, en su mayoría, sólo interesados en comprarse unas buenas prendas de vestir, e ir a las fiestas en que se recreaban las viejas costumbres aldeanas, sin excluir una breve visita a la iglesia. Esta masa de campesinos desarraigados era mucho mayor en Polonia que en las áreas más desarrolladas de Europa Oriental, como Checoeslovaquia (salvo Eslovaquia), Alemania Oriental y Hungría. Era, sin embargo, igualada o aun superada en los Balcanes, y desde luego, en Rusia, Ucrania y las repúblicas soviéticas de Asia. No es de extrañar, pues, que la palabra *populismo* esté hoy en boca de todo el mundo en esos países.

La industrialización masiva, además del efecto obvio sobre la composición de la clase obrera, observado por los científicos del régimen, tenía también un efecto sobre la creación de una nueva clase media, hecho ya antes señalado, pero sobre el cual conviene volver. A diferencia del anterior, este tema está oscurecido, en los análisis oficiales, por la dificultad de asignarle a ese grupo una condición de clase en la teoría marxista. Sin embargo, el hecho está claramente señalado, entre otros, en los trabajos de Jerzy Wiatr, distinguido sociólogo polaco miembro del partido dominante, pero que mantuvo, y sigue manteniendo hasta la actualidad una gran independencia (y, extrañamente, su ficha de afiliación, así como un puesto de diputado).[11] Las poderosas fuerzas de la movilidad social pronto absorbieron al muy reducido conjunto de los antiguos militantes comunistas, y los nuevos puestos fueron cubiertos por reclutas recientes del partido. Estos reclutas, por supuesto, tenían un tipo de motivación bastante distinto del que había caracterizado a sus mayores, y se adaptaron a las alternativas del poder dentro del régimen, sin ningún fanatismo. Quizás esto fue una bendición, pues, aunque incrementó las prácticas de beneficio personal, dificultó las del terrorismo de Estado, más hecho a la medida de incorruptibles, como Robespierre. Al respecto, merece tenerse en cuenta la observación de un fogueado disidente, Jerzy Strzelecki, según el cual "el problema con la corrupción bajo Gierek es que no iba suficientemente a fondo. En vez de darles a los funcionarios los bienes producidos por las fábricas, Gierek debería haberles dado las propias fábricas. Como dueños de esas grandes empresas, no se habrían aferrado entonces tanto a sus cargos oficiales".[12] De hecho, ya se estaba dando la conversión de la *nomenklatura* en una nueva burguesía empresa-

[11] Wiatr, *The Soldier and the Nation,* págs. 105, 110.

[12] David Ost, *Solidarity and the Politics of Anti-politics,* Philadelphia, Temple University Press, 1990, pág. 201.

rial, lo que sin duda es una parte importante de la explicación de por qué el proceso de cambio fue relativamente poco violento.

Polonia, una nación "problema"

Polonia tiene la característica adicional de ser una nación "problema", varias veces repartida, y permanentemente amenazada por sus poderosos vecinos, de dos de los cuales se diferencia por su religión. La Iglesia Católica, por lo tanto, se ha convertido en símbolo de identidad nacional, en un grado no igualado en Checoeslovaquia ni en Hungría (aunque sí en Eslovaquia).

Hungría, aunque también tiene problemas, pues no olvida el gran número de gente de origen magiar que quedó fuera de sus fronteras después de la Primera Guerra Mundial (sobre todo, en Rumania y Yugoeslavia-Serbia), ha ejercido en el pasado un rol dominante en el área. El nacionalismo en Hungría es más bien una fuerza conservadora, no una de tipo nacional y popular como en Polonia, pues no ha estado asociada a la lucha histórica contra enemigos más poderosos. Hungría ejercía un cierto rol de subimperialismo ante los pueblos eslavos integrados en el sistema austrohúngaro. Por otra parte, el país está dividido entre católicos y protestantes; estos últimos suman un tercio del total.

En cuanto a Checoeslovaquia, ella estaba en una situación intermedia en lo referente a identidad nacional, debido a los altibajos de su historia, pero su heterogeneidad étnica y también religiosa dificultó que el nacionalismo se convirtiera en una fuerza integradora. Con la división del país en dos, la situación se vuelve diferente, pues cada una de sus secciones es más homogénea. Es Eslovaquia, en este sentido, la que alberga una alta suma de resentimientos históricos. Su mayor tradición rural, y gran homogeneidad religiosa, la hace semejante a Polonia, y aún más a algunos países balcánicos o de la ex Unión Soviética, en que un partido de integración nacional fácilmente domina la escena.

En Polonia, la Iglesia ha jugado el papel de creadora de la elite capaz de hablar a las masas en un lenguaje que éstas entienden, el de la religión y el nacionalismo. Para que la coalición nacional y popular cuajara, se necesitaban tanto las masas disponibles —producto de la rápida urbanización— como la elite opositora, compartiendo enemigos comunes. Los detalles de la ideología no importan tanto, mientras exista un vínculo entre elites y seguidores, basado en una mentalidad común, o en la atracción hacia un líder carismático. La aparición de ese tipo de líder no es un fenómeno meramente individual, sino que es más bien el resultado de la convergencia de ciertas variables sociales. En Polonia la Iglesia proveyó las bases para la existencia de un grupo colectivo que desempeñara esa función, y Lech Walesa constituyó el punto individual de referencia.

Solidaridad, por otra parte, no puede ser interpretada sólo como un sindicato, ni como un partido o movimiento obrero, sino como uno de tipo nacional y popular. La presencia de la Iglesia en la coalición garantiza, es obvio, el aporte campesino —que, de otro modo, un movimiento obrero difícilmente conseguiría— y, no menos importante, la presencia de sectores de clase media y profesionales, de los que Tadeusz Mazowiecki es un caso típico.

Se ha vuelto usual comparar a Solidaridad con el Peronismo. Por cierto que existen bastantes parecidos, aunque las diferencias son también significativas, sobre todo, en la naturaleza de las elites no obreras involucradas. Como movimientos nacionalistas populares, comparten una gran heterogeneidad en sus partes componentes. Un importante parecido entre ellos es el fuerte peso de la participación sindical. Una diferencia esencial, sin embargo, reside en la manera rápida en que tanto la rama sindical como la política de Solidaridad se han disuelto, o han drásticamente disminuido, convirtiendo a ese movimiento casi en una caricatura del modo en que, a veces, se ve al populismo, como siendo un fenómeno de tan rápida generación como de intempestivo eclipse. Lo más significativo del caso es que este último se ha dado sin esperar la muerte del creador, sino, por el contrario, ha ocurrido paralelamente a su acceso a la presidencia del país, o sea, después de una espectacular victoria sobre el régimen. El peronismo, en cambio, beneficiado quizás por la gran prosperidad existente durante los años de su formación —contrastando drásticamente con la situación polaca—, ha podido permanecer unido, a pesar de las tensiones internas generadas por la adopción del modelo económico neoliberal a partir de 1989.

Los sindicatos argentinos, de todos modos, se fortalecieron durante las primeras presidencias de Perón al amparo de la protección oficial, mientras que en Polonia no ocurrió lo mismo. En el caso polaco, el equivalente del apoyo externo gozado por el movimiento obrero fue el rol de la Iglesia en su creación y legitimación, durante la vigencia del régimen comunista. Los aspectos neocorporativistas católicos son comunes a ambos movimientos, y son parcialmente responsables de la falta de simpatía hacia Solidaridad existente hoy entre los intelectuales, una vez que el aura de persecución ha abandonado a ese movimiento.

Aspectos organizativos y estructura interna de Solidaridad

No es fácil llegar a tener una imagen clara de la organización interna de Solidaridad, pues los relatos acerca de su génesis —a menudo algo romantizados— son bastante unilaterales al respecto. La gran erupción huelguística que generó el sindicato se dio en el verano nórdico de 1980, en los grandes astilleros de Gdansk y Gdynia, ciudades muy cercanas y donde hay una enorme concentración de fuerza de trabajo. También hubo una semejante erupción de protesta obrera en Szczecin, otro puerto báltico, y en centros industriales y mineros de grandes dimensiones, como en Silesia y en las áreas de influencia de Varsovia y Cracovia. Las huelgas de 1980 estallaron, sobre todo, en lugares como la empresa automotriz Ponar, de Tarnow, con 10.000 trabajadores; la usina de Svidnik, con 20.000 empleados; los astilleros de Gdansk, con 17.000; o entre los 7.000 textiles de Kalisz. En el triángulo báltico de Gdansk-Gdynia-Sopot, sobre 700.000 habitantes, había 200.000 obreros en la fuerza de trabajo, o sea, casi la totalidad de la población, y de ellos unos 50.000 trabajaban en los astilleros.

Lech Walesa, electricista de muy reciente y muy vívida extracción campesina, y con varios años de trabajo en la planta, estaba, por declaración propia, desocupado desde hacía cuatro años, por haber participado en protestas obreras anteriores. Por otra parte, desde hacía unos años, se había formado un grupo intelectual de defensa de los derechos obreros (KOR), influido, al comienzo, por ideas de izquierda y de socialismo autogestionario, y luego orientado de manera más moderada. Apenas comenzaron las huelgas en Gdansk y las demás zonas, aparecieron curas que oficiaban misas, y un gran apoyo eclesiástico al movimiento, comenzando por el nada progresista arzobispo Jozef Glemp.

Los sindicatos oficiales ligados al Partido Obrero Unido Polaco (POUP) pasaban por su momento de máximo desprestigio, y lo mismo ocurría con el partido. Una encuesta realizada en 1981 demostró que el 76% de los miembros del POUP que eran obreros calificados se había afiliado a Solidaridad (reteniendo casi todos, por el momento, su ficha partidaria). El partido, en ese entonces, tenía unos 17.000 funcionarios de dedicación plena y tres millones de miembros, y de ellos, al parecer un millón se afilió a Solidaridad.[13]

13 George Sanford, *Military Rule in Poland: The Rebuilding of Communist Power,* 1981-1983, Londres y Sidney, Croom Helm, 1986, págs. 16, 194, 197.

Solidaridad, recién creada en el referido verano "caliente" de 1980, ya tenía, al año, la increíble cantidad de casi diez millones de miembros, sobre una población económicamente activa de diecisiete millones. Obviamente, alguien dio una mano, pues éste no es el tipo de crecimiento que puede experimentar un movimiento obrero, en especial si tiene que enfrentar resistencias oficiales. Los recursos con que se contaba superaban ampliamente los que puede ofrecer la clase obrera. No sólo se afiliaron en masa sectores de clase media y profesionales, sino también campesinos, formando una rama rural de Solidaridad. La ideología era, en un comienzo al menos, de autogestión obrera, pero eso no refleja un origen obrero, sino más bien lo contrario.

Las huelgas masivas de agosto de 1980 aprovecharon un momento de distracción del gobierno soviético, preocupado por Afghanistán y por no quedar mal ante las delegaciones que estaban llegando para las Olímpiadas de Moscú. En Polonia, también, se estaba en el tramo final del mando de Edward Geriek, quien había llegado como reformista en 1970, pero había perdido esa aura hacía ya tiempo.

Los huelguistas, apoyados en masa por la población y aun por una gran parte de los afiliados y mandos medios comunistas, llegaron a controlar el orden público en esa área por varios días (agosto de 1980), prácticamente estableciendo un gobierno paralelo en el área de Gdansk, una especie de *comuna* potencialmente revolucionaria. Cuando al mes siguiente se reunió el primer congreso de fundación del sindicato Solidaridad, se discutió si se le daba una organización por profesiones o ramas (como la mayor parte de las entidades obreras en el mundo) o bien se adoptaban las áreas geográficas como unidades, dentro de las cuales todos los afiliados estarían integrados en una única organización. Este último era el sistema preferido por Walesa, pero, finalmente, aceptó otra forma asociativa aún más extraña, propuesta por sus asesores, a saber, la asociación directa de cada individuo a un sindicato único en todo el país, con el argumento de que, con esta centralización, sería más fácil negociar con las autoridades nacionales. De todos modos, se llegó a un acuerdo con los descentralizadores, permitiéndose la existencia de regionales, con sus propias autoridades, y subunidades por ramas o por empresas, aunque esto fue una práctica tolerada, no incorporada al estatuto de Solidaridad.

La heterogeneidad, típica de un movimiento nacionalista popular, se expresaba también en la ideología de algunos de los grupos iniciadores, cuyas características se vieron más claramente luego, cuando el movimiento estalló en sus diversos componentes, con motivo de las elecciones legislativas de 1991. Esta heterogeneidad ideológica, desde luego, no debe de ser ninguna sorpresa para cualquier observador de la escena latinoamericana, pero en el caso polaco el fenómeno se daba de una manera extrema. Los componentes eran por lo menos los siguientes:

1. *Los sindicalistas de "base":* éstos son los que han aparecido más ante la opinión pública, representados simbólicamente por Lech Walesa, aunque más tarde éste se apartó del sector, al evolucionar hasta convertirse en una figura nacional y alcanzar la presidencia en 1990. Se trata de un grupo típicamente de extracción industrial, dedicado a la organización de asociaciones autónomas, muy basadas en la capacidad organizativa de los trabajadores. Entre ellos, de todos modos, hay bastantes de origen técnico o semiprofesional más que obrero. La mentalidad es reformista y pragmática, con poca sensibilización *teórica,* y bastante inmersa en la cultura y psicología social tradicionales del pueblo polaco, con sus altas dosis de autoritarismo, religiosidad y personalismo.

2. *Los nacionalistas de derecha, pero no por eso menos populistas, de la Confederación por Polonia Independiente:* presentes en el movimiento desde el inicio, ferozmente antisoviéticos y bastante xenófobos, partidarios de mantener un fuerte rol del Estado en la economía, desconfiando de las privatizaciones. Dirigidos por Leszek Moczulski, y alejados de Walesa a pesar de la reorientación posterior de éste hacia la derecha.

3. *Los católicos de derecha, bastante "fundamentalistas":* estrechamente ligados a la jerarquía, especialmente al arzobispo Jozef Glemp, sin desdeñar ribetes antisemitas y la reivindicación de regímenes de entreguerras, como los del filofascista Partido Democrático Nacional de Roman Dmowski (derrocado en 1926 por Pilsudski). Se dieron luego una organización propia, la Unión de Cristianos Nacionales, asociada a una más amplia Asociación Nacional Cristiana, usualmente aliadas a Walesa, y apoyan con algunas reticencias los diversos programas de privatizaciones.

4. *Los católicos liberales:* de origen en general profesional, están representados por Tadeusz Mazowiecki, un intelectual que comenzó como colaborador del régimen comunista y luego se fue independizando. Tienen apoyo en la Iglesia, pero más bien en la clase media y profesional no dispuesta a dejarse mandar excesivamente por la jerarquía, y por lo tanto son vistos por ésta con alguna desconfianza.

5. *Los intelectuales socialdemócratas:* muchos de ellos de origen más izquierdista iniciaron sus actividades en el grupo KOR (Comité de Defensa Obrera) en 1976 y luego evolucionaron de manera moderada, acercándose mucho a los católicos liberales. Sus representantes más conocidos son Jacek Kuron, Karol Modzelewski, Adam Michnik y Bronislaw Geremiek.

6. *El sector campesino de Solidaridad:* con fuerte apoyo de los curas de campaña, se acerca a las fuerzas influenciadas por la jerarquía religiosa.

Volveremos más adelante a retomar el hilo de la transición polaca, pero antes veamos algunos elementos comparativos del resto del área, y sobre todo, el tema del grado de solidez o debilidad de los regímenes comunistas, de las alternativas que enfrentaban y de la amenaza que pendía sobre ellos si no se reformaban.

Un espectro recorre Europa o el temor a terminar como Ceausescu

En 1978, poco antes de las grandes huelgas, un grupo intelectual muy ligado a los sectores reformistas del partido dominante en Polonia, pero que incluía gente independiente, denominado *Experiencia y Futuro,* decidió organizar grandes reuniones públicas para llegar a una conclusión acerca de qué es lo que andaba mal en el país. Las autoridades pronto obstruyeron su trabajo, pero igualmente fue posible conseguir muchas respuestas por correspondencia, y en 1980 volvieron a repetir el ensayo, esta vez con un poco más de libertad (siempre antes del estallido huelguístico de Gdansk). Es interesante ver que, a los numerosos participantes, se les ocurren cualquier cantidad de ideas, salvo las que luego se impusieron por la fuerza de las circunstancias: permitir la existencia de sindicatos y otras organizaciones independientes, y dejar de lado el "rol directivo" del partido, que estaba inscripto en las leyes fundamentales.

Una de las preocupaciones del grupo, de todos modos, fue respecto de las "amenazas" que se cernían sobre el país. El tema mereció un acápite en el informe que sus iniciadores redactaron, y en él se lee bajo la rúbrica *El peligro de una explosión,* que la esperada reducción de nivel de vida en los próximos dos o tres años puede llegar a ser más que lo que la sociedad es capaz de sobrellevar psicológicamente. Los sacrificios necesarios ciertamente no estarán distribuidos en forma equitativa. Las tensiones sociales —especialmente entre ciertos grupos— van a ser, en especial, agudas. En tales condiciones, eventos o conflictos inicialmente triviales pueden degenerar en disturbios mayores, como huelgas, manifestaciones, o actos de violencia contra instituciones oficiales.

Uno de los encuestados, el número 6, dice que "más tarde o más temprano habrá una explosión del tipo que ya hemos experimentado en el pasado [...]. El costo de esas explosiones sociales es siempre alto. Pero en este caso sobrepasaría todo lo que hemos visto desde la guerra. La experiencia muestra que cualquier intento de controlar el curso de los sucesos por la fuerza tendría pocas posibilidades de éxito".

Otro, el número 8, más explícitamente preveía que "los disturbios locales pueden extenderse con sorpresiva facilidad, y provocar una súbita crisis de las estructuras organizativas existentes, incluso el aparato del poder y la represión".[14]

Era cada vez más obvio, por la situación internacional, que no se podría contar con el apoyo soviético. En ese caso, la represión de sublevaciones internas sería cada vez más difícil. No es que necesariamente los disidentes, intelectuales o sindicalistas, se propusieran un movimiento de fuerza. Lejos de ello, lo condenaban explícitamente, e incluso, durante los primeros años, estaban decididos a respetar el "rol directivo del partido" como un hecho de la realidad. Las propuestas de Solidaridad a menudo eran del tipo que hoy llamaríamos *neocorporativo*; sugerían a lo sumo compartir el poder. En agosto de 1981, cuando todavía duraba la primavera de democratización anterior a la intervención del general Jaruzelski en diciembre, Jacek Kuron había propuesto la formación de una segunda cámara para complementar al unicameral Sejm. Dando por sentado que los miembros de este último seguirían siendo designados a dedo por el partido, sugería una *Cámara del Trabajo,* donde habría representación de organizaciones independientes, además, por supuesto, de las oficiales, a las que era impensable pretender dejar de lado.

¿Pero qué es lo que podía ocurrir, exactamente, si no se implementaban reformas significativas? El telón de fondo era la repetición de las escenas de rebelión violenta que, comenzadas en Berlín en 1953, se habían reproducido en Polonia (especialmente, en la ya célebre Gdansk) y más dramáticamente en Hungría en 1956, y habían vuelto a manifestarse en la misma Gdansk en 1970. Cierto es que esas rebeliones habían sido reprimidas, y quizás podrían volver a serlo, de manera que era poco probable que se die-

[14] "Experience and the Future", *Poland Today: The State of the Republic,* Armonk, NY, M. E. Sharpe, 1981, pág. 77.

ra una "revolución social", obrera y autogestionaria, como la imaginaban los más exaltados activistas del KOR y de Solidaridad.[15] Más realista, y grave, era una "latinoamericanización" del escenario político y social. O sea, una mezcla de presiones no siempre exitosas del poder imperial, y un rol complejo, impredecible, de las Fuerzas Armadas, donde podían proliferar no sólo los Onganía, sino también los Velasco Alvarado. Esta latinoamericanización podía, a su vez, degenerar en una "arabización", con militares decididamente revolucionarios, inspirados en un Nasser o un Gadhaffy.

Rumania demostraría, años después, que estas fantasías bien podían ser superadas por la realidad. Ceausescu no fue derribado por una insurrección popular, aunque ésta, ciertamente, desencadenó el proceso, y dio origen a un golpe interno, dirigido por sectores de las Fuerzas Armadas ligadas al aparato comunista, en diciembre de 1989. Para los más exigentes, los cambios no fueron suficientes, y, de hecho, siguió dominando la *nomenklatura,* algo renovada. Pero esto no podría ser un consuelo para el matrimonio Ceausescu ni para sus más inmediatos colaboradores, y, por lo tanto, para sus equivalentes en los demás países del área.

Es preciso aquí aclarar un poco el sentido de la palabra *nomenklatura,* tan usada en análisis de este tipo. Técnicamente, significaba la lista de posiciones por ser llenadas directamente por los gobiernos, por supuesto, con miembros del partido. Incluía desde los ministerios, direcciones generales de reparticiones públicas, embajadas y altos rangos militares, hasta las gerencias de grandes empresas y los liderazgos sindicales, además, claro está, de los cargos rentados del partido. Quizás unos veinte o treinta mil individuos, en un país como Polonia. Pero además de esos cargos, había toda una clase social privilegiada mucho más amplia, de *managers,* profesionales y administradores, que, aunque debía repetir las consignas oficiales, no tenía participación ni interés político, como en cualquier país del mundo. Es cierto que, para acceder a los puestos más altos, en la verdadera cúspide, era necesario ser miembro del partido, pero eso no se aplicaba para la mayoría de los niveles medios y medios altos de la estructura ocupacional.

La mayor parte de la nueva clase dominante, la burocracia, una vez consolidado su dominio, se fue dando cuenta de que era mejor reconvertirse, para mantener lo básico de sus privilegios, e incluso aumentarlos notablemente. Claro está que, en el proceso, algunos sufrirían, tanto en sectores especiales de la *nomenklatura,* como entre los estratos medios aún ligados

[15] Stanislaw Starski, seudónimo, *Class Struggle in Classless Poland,* Boston, South End Press, 1982; Spiro Dede, *La contre-révolution dans la contre-révolution,* Tirana, Editions 8 Nentori, 1983.

al régimen y, sobre todo, en los niveles obreros. Estos últimos, a pesar de ser maltratados bajo los gobiernos comunistas, de alguna manera seguían recibiendo protección, al menos por comparación con la mercantilización salvaje que luego se impuso.

Los Balcanes: Rumania en el espejo mexicano

En los Balcanes, también existían, como en Polonia o aun en mayor grado, condiciones sociales para la emergencia de un cierto tipo de movimiento nacional y popular, debido al acelerado proceso de urbanización e industrialización. Pero su estadio menos desarrollado y el menor peso de la gente que vivía en ciudades o en concentraciones industriales favorecían a un movimiento integrativo policlasista más que al populismo más típico.[16]

En Rumania, después de la caída de Ceausescu a fines de 1989, el nuevo régimen incluyó un sector de las Fuerzas Armadas y del viejo aparato partidario, encabezado por Ion Ilescu, capaz de movilizar a un importante apoyo popular y ganar una elección, aunque fuera con métodos no desconocidos al sur del Río Bravo. También el uso de patotas sindicales para reprimir manifestaciones opositoras tiene paralelos entre nosotros. Típicamente, es en la capital donde se concentra la oposición, basada en las clases medias, profesionales e intelectuales más que en los sectores obreros.

El Frente de Salvación Nacional, estructura electoral continuista rumana, que recuerda inevitablemente al PRI mexicano, o al Partido del Congreso de la India —ideologías aparte—, se mantuvo en el poder, en un sistema semidemocrático, por cierto mucho más abierto que su predecesor, pero aún sometido a numerosas arbitrariedades gubernamentales. Tuvo que enfrentar el problema de la importante minoría magiar en Transilvania, que sobreexcita permanentemente los sentimientos nacionalistas rumanos. A diferencia de Polonia, donde el comunismo no podía ser visto como baluarte nacionalista, sino más bien como agente de un enemigo histórico, en Rumania los rusos siempre habían sido considerados amigos, ante la más seria amenaza turca. Aun durante el conflicto con Moscú, Ceausescu asumió, por sus propias razones, un rol independentista. Por lo tanto, el partido y su sucesor

[16] Catherine Durandin y Despina Tomescu, *La Roumanie de Ceausescu,* Paris, Guy Epaud, 1988; Judy Batt, "The end of Communist Rule in East Central Europe: a Four Country Comparison", *Government and Opposition* 26, 3 (1991); Mark Almond, "Romania since the Revolution", *Government and Opposition* 25, 4 (1990).

han podido arroparse con las galas del nacionalismo, evitando así que se generara un fenómeno del tipo de Solidaridad. La Iglesia, por otra parte, es predominantemente ortodoxa, y estuvo muy dominada e instrumentada por el régimen de Ceausescu, por lo que nunca pudo convertirse en foco de oposición, mientras que los católicos, aunque influyentes, son una minoría.

La complejidad de la situación política y del panorama ideológico en Rumania se manifiesta en un evento que tuvo gran repercusión en la prensa internacional. Se trata de una protesta estudiantil, para pedir una mayor *descomunización,* realizada en la plaza de la Universidad a mediados de 1990, y que fue reprimida por el gobierno mediante el envío de una numerosa banda de mineros debidamente pertrechados. Pero el líder de la manifestación estudiantil, Marian Manteanu, resultó ser un importante ideólogo de la extrema derecha nacionalista, con fuertes ribetes antisemitas, que añora los días de preguerra en que la Guardia de Hierro y otros grupos filofascistas daban *vitalidad* a la nación rumana. Ese nacionalismo autoritario también campea entre formaciones aliadas del gobierno y enraizadas ostensiblemente en el recuerdo de la *época de oro,* como Ceausescu autodefinía su régimen.

En Rumania, antes de la Segunda Guerra Mundial, el comunismo tenía muy poca fuerza y ninguna libertad para organizarse. Al llegar las tropas soviéticas, tomó el poder y pronto desplazó a rivales y aliados, forzando al Partido Social Demócrata a fusionarse. La urbanización fue muy acelerada, tanto o más que en Polonia, y la expansión en número de afiliados del partido fue parecida. Bajo Ceausescu, llegado al poder en 1965, hubo algunos años prósperos. Al romper con la Unión Soviética y aliarse con China, desarrolló una ideología nacionalista, que aún hoy tiene muchos adeptos.[17]

Desde el punto de vista religioso, la gran mayoría de la población es ortodoxa, con minorías protestantes y católicas, o *uniatas* (rito bizantino en comunión con Roma). Para los nacionalistas rumanos, no ser ortodoxo en religión es casi sinónimo de ser húngaro o alemán, por no decir judío. Pero la Iglesia Ortodoxa, sin vinculaciones internacionales, fue siempre dominada por el Estado, y de ninguna manera tuvo el rol de semillero de oposición que tomó el catolicismo en Polonia. El hecho es que nada parecido a Solidaridad se formó. Lejos de ello, dentro del partido oficial, los sindicatos tenían una cierta esfera de autonomía, que ejercieron ya en 1977, en una huelga radicada en la cuenca carbonífera de Jiu.[18]

[17] Katherine Verdery, *National Ideology under Socialism: Identity and Cultural Politics in Ceausescu's Romania,* Berkeley, University of California Press, 1991, págs. 167-168.

[18] Michel Tauriac, "La guerre des clochers", en *Revue des Deux Mondes,* París, enero 1994.

La visita de Gorbachov en 1987 lanzó señales de que el poder imperial del área encendía la luz verde. Ese mismo año, cundió una revuelta estudiantil y cultural en Brasov. Silviu Brucan, ideólogo comunista que había caído en desgracia desde las altas posiciones ejercidas en los tiempos de Gheorghiu-Dej, apoyó estas manifestaciones. Desde entonces, se convirtió en inspirador de quienes luego derrocaron al dictador y construyeron el Frente de Salvación Nacional, nombre este que por cierto apela a tradiciones de la Revolución Francesa y al mismo tiempo del nacionalismo local.

La convulsión final se dio en Transilvania, por la resistencia de los húngaros —dirigidos por un pastor protestante y alentados desde Budapest— en movimientos que dejaron un centenar de muertos. La reacción interna al régimen, dirigida por el alto funcionario Ion Iliescu, asumió el poder en medio de actos violentos que costaron otros mil muertos en la capital, además del asesinato sin juicio a Ceausescu y su esposa. La policía secreta, Securitate, fue parte de la nueva constelación de poder. Los críticos del proceso dicen que ella ha desempeñado el rol que antes ejercía el partido.

Inmediatamente después de estallada la revolución (diciembre 1989), los gremios oficiales se convirtieron en *Libres,* pasando de tener siete millones y medio de afiliados a un millón y medio en poco tiempo, mientras que otras centrales sindicales se fundaban, sin contar con demasiado apoyo en la población.

Las elecciones parlamentarias, a mediados de 1990, habían dado una gran victoria (65% de los votos) al Frente de Salvación Nacional, en el cual, al lado de Ion Iliescu, emergía como líder principal el más neoliberal Petre Roman. Los opositores, sin tiempo de organizarse, no pudieron presentar una alternativa válida. Con diversas opciones, se fue dando una polarización que hizo perder el poder al oficialismo a manos de una oposición basada en una alianza de diversos partidos, de manera que parece acercarse a una bipolaridad, pero con características distintas de las de Europa Occidental.

Bulgaria: ¿una repetición del fenómeno rumano?

En Bulgaria, otra situación *priísta* parecía desarrollarse al comienzo de la transición. El Partido Comunista estaba más arraigado que en Polonia o Rumania, pues en el período de entreguerras pudo funcionar gran parte del tiempo, y era capaz de alcanzar el 20% de los sufragios en elecciones libres.[19]

[19] Richard J. Crampton, Richard J., *A Short History of Modern Bulgaria,* Cambridge, Cambridge University Press, 1987, págs. 86, 97.

Durante la Segunda Guerra Mundial, el país estuvo aliado a Alemania, bajo el gobierno dictatorial del zar Boris III. Derrocado en 1944 el régimen colaboracionista por un movimiento interno con participación de un sector de las Fuerzas Armadas y resistentes antinazis, entre ellos, comunistas, se constituyó un breve gobierno de coalición, dirigido por el Partido Agrario, de fuertes raíces en el período prebélico. A la llegada de las tropas rusas, otra coalición se hizo cargo, encabezada por el sector de izquierda de esos mismos Agrarios, ahora instrumentados por Moscú. En las elecciones realizadas a fines de 1945, se presentó una lista única dominada por el Partido Comunista, con participación de representantes digitados de los Agrarios, Social Demócratas y otros partidos menores. Establecida enseguida la república, otras elecciones, realizadas en octubre de 1946, reflejaron la convergencia de la opinión hacia el Partido Comunista y sus aliados, que obtuvieron casi 3 millones de votos (2.200.000 de ellos del PC) contra 1.200.000 de la oposición, principalmente Agraria y de una fracción Social Demócrata, que por cierto no contó con muchas garantías en la campaña electoral. De todos modos, el Partido Comunista pudo salir airoso de elecciones medianamente competitivas, como en Checoeslovaquia y Hungría.[20]

El resultado fue una diarquía formal, con clara ascendencia Comunista, y permanente segundo violín Agrario. Al igual que en Polonia, este partido —izquierda de un antiguo movimiento fuerte en el campo— tuvo cierta autonomía, necesaria para conciliar voluntades en el sector rural. Pronto, bajo el férreo gobierno de Georgi Dimitrov, los restos de oposición que habían llegado a entrar en el Parlamento fueron eliminados, incluyendo la ejecución del dirigente del sector anticomunista de los Agrarios. A los Socialdemócratas de izquierda los esperaba la fusión. La alianza con la Unión Soviética fue siempre muy sólida, y los aires renovadores, cuando soplaban en Moscú, tenían sus efectos en Sofía. Desde el punto de vista de los sentimientos nacionales, los rusos —al igual que en Rumania— eran históricamente vistos como amigos ante el amenazante Imperio Otomano. La religión, mayoritariamente ortodoxa con patriarcado propio, no proveía mucha independencia ante el poder civil. Había, también como en Rumania, minorías católicas y *uniatas,* pero, además, una significativa minoría musulmana y turca, de un 12% de la población.

El régimen canalizó con éxito los sentimientos nacionales y realizó dos grandes campañas para obligar a adoptar nombres más “nacionales”, primero, en los años sesenta, a los musulmanes étnicamente búlgaros —los

[20] François Fejto, *La fin des démocraties populaires,* París, Seuil, 1992.

200.000 *pomaks*— y luego, en los años ochenta, al casi millón de turcos de origen, ocasionando gran resistencia, emigraciones a Turquía, y una seria tensión con el vecino país. Como en Rumania, entonces, y a diferencia de Polonia, el comunismo pudo ser visto como identificado con los intereses nacionales, enfrentado a enemigos externos históricos.

A comienzos de 1989, sectores intelectuales formaron el sindicato Podkrepa ("Apoyo"), pero pronto terminaron en la cárcel por interesarse demasiado en los turcos que resistían la violenta bulgarización. En el verano de ese mismo año, se había permitido (o sea, obligado) a unos 300.000 turcos emigrar a Turquía, pero la mitad, desubicados en su país ancestral, volvieron, para encontrar sus casas y posesiones ocupadas por búlgaros que no estaban de ninguna manera dispuestos a devolvérselas. El tema étnico amenazaba generar complicaciones cada vez mayores, lo que no era bueno dada la situación que venía dándose en el resto de Europa Oriental.

La dirigencia, entonces, vio la señal escrita en la pared, y decidió eliminar a su jefe, Zhivkov, que ya había cumplido más de treinta años al frente de los negocios públicos. Peter Mladenov lo sustituyó como primer secretario del partido y presidente, con Andrei Lukhianov como primer ministro. Los cambios se sucedieron entonces a gran velocidad, siguiendo pautas bastante repetidas en los demás países del área. Los sindicatos oficiales se declararon independientes de la dirección del partido, al precio de reducir su afiliación a la mitad. Antes de fin de año, los turcos pudieron llamarse como quisieron, con lo que el Movimiento por Derechos y Libertades, que la comunidad se había dado, pasó a controlar exitosamente a sus propios extremistas. Los viejos partidos de la preguerra salieron a la superficie: Agrarios, Demócratas, Radicales, todos aliados en una Unión de Fuerzas Democráticas (iniciales SDS en búlgaro). El sindicato Podkrepa, hasta entonces minoritario —dirigido por un médico—, recibió el apoyo de los mineros, descontentos con la política oficial, y se afilió a la Confederación Internacional de Sindicatos Libres y a la Unión de Fuerzas Democráticas (SDS). En enero de 1990, el gobierno inició conversaciones con la oposición, para ver cómo relegitimar su poder, o eventualmente transferirlo, si no había más remedio.

El milagro ocurrió cuando se realizaron elecciones libres: el rebautizado Partido Socialista Búlgaro obtuvo 47,2% de los sufragios, sobre todo, entre los votantes más viejos, menos educados y rurales. La Unión de Fuerzas Democráticas recogió el 36,2%, sobre todo, en el ambiente urbano. El espectro, no demasiado subdividido, se completaba con el Movimiento de Derechos y Libertades, de los turcos, con el 6%, y el Partido Agrario Búlgaro, con el 8%. La barrera del 4% del total de votos para acceder al Parlamento hizo una limpieza de pequeñas organizaciones, a diferencia de lo que ocurre en Rumania.

En realidad, el milagro fue ayudado por la celeridad con que se convocó a las elecciones, dando poco tiempo a los opositores para organizarse, pero de todos modos se trataba de un test importante. Como en Rumania, el centro de la oposición es la capital y no los sindicatos, aunque, en este campo, se ha dado una pluralización, con el desarrollo de la central anticomunista Podkrepa, y la mayor independencia de las organizaciones ex oficialistas.

El revalidado gobierno comunista tuvo que enfrentar, de todos modos, una oposición muy dura en el nivel parlamentario y también en el sector laboral, donde Podkrepa le había erosionado algo sus tradicionales bastiones. Ante la desestabilización, que incluyó olas de huelgas y una muy latinoamericana ocupación de la Universidad, Mladenov se vio obligado a renunciar a la presidencia, y, en su reemplazo, el Parlamento designó al jefe de la Unión de Fuerzas Democráticas SDS, Zheliu Zhelev (julio de 1990). La transición ahora iba más en serio, aunque podría tratarse de una maniobra para cargar a los opositores con el fardo de los insolubles problemas económicos, quizás un corto período de estar en el llano. Como garantía, de todos modos, se convino en que el general Atanas Semerdzhiev, del Partido Socialista Búlgaro (ex Partido Comunista) sería vicepresidente.

En las elecciones legislativas que se celebraron hacia fines de 1991 el Partido Socialista, con una campaña nacionalista antiturca, logró el 33,1% de los votos, casi igualando a la Unión de Fuerzas Democráticas SDS, que obtuvo el 34,4%.[21] Ante los resultados electorales casi empatados, la Unión de Fuerzas Democráticas SDS, con el apoyo de los turcos, formó gobierno, en noviembre de 1991. En enero del año siguiente, otra elección, para la presidencia, fue vencida, por poca diferencia, por Zhelyu Zhelev, del SDS, con el 45% de los votos en la primera vuelta y el 53% en la segunda vuelta, sumando las varias facciones del SDS, los Agrarios, y los turcos del Movimiento por Derechos y Libertades.

La situación ha permanecido inestable, con cambios de alianzas y oscilaciones gubernamentales que preocupan a los potenciales inversores extranjeros. A pesar de estas turbulencias, el panorama político-partidario en Bulgaria tiende a estabilizarse alrededor de una bipolaridad, entre un ex comunismo en buena salud, contando con un tercio o más del electorado, y

[21] Christov Chiclet, "La Bulgarie en 1991", en Edith Lhomel y Thomas Schreiber, comps, *L'Europe Centrale et Orientale,* París, Les Etudes de la Documentation Francaise, 1992, pág. 99; Plamen Tzvetkov, "The Politics of Transition in Bulgaria: Back to the Future?", en *Problems of Communism,* vol. 41, Nº 3, Washington DC, mayo-junio 1992.

una oposición muy fragmentada, ocasionalmente unida detrás de la SDS, más bien de derecha, que goza de otro tercio de apoyo. Formaciones menores, independientes y étnicas, que pueden participar en diversos tipos de coaliciones, complementan el espectro, y se está legitimando la alternancia de partidos en el gobierno, y la cohabitación entre un presidente y un primer ministro a la francesa.

La transición en Checoeslovaquia y en Hungría

En la República Checa y en Hungría, los partidos comunistas parecen haber retenido más elementos de su estructura tradicional de preguerra. En eso se parecen a la Alemania Oriental. Los gobiernos, habiendo perdido la protección soviética, se dieron cuenta de que no era posible retener el poder ante la fuerte oposición interna, apoyada —detalle no desdeñable— desde Europa y los Estados Unidos. Estas potencias podrían muy bien fomentar una sublevación local, eventualmente mediante la intervención de un sector amigo de las Fuerzas Armadas, como en América Latina. Se crearon así las condiciones para un "1848", o sea, para una rebelión de la clase media ilustrada contra un régimen autocrático anclado en los estratos más privilegiados de la población. En su versión siglo XX, esto implicaba una rebelión contra la alta burocracia y la ***nomenklatura.*** La clase obrera no tomó un rol protagónico en la agitación, como lo hizo en Polonia. Las Fuerzas Armadas adoptaron una actitud independiente, probablemente debido a su incapacidad de contener la marea. Dada esta distribución de fuerzas, no había otra salida que el ceder ante poderes superiores, esperando controlar la transición.[22]

Esta hipótesis de que si los regímenes de Europa Oriental no hubieran cedido ante las presiones democratizadoras se habrían enfrentado a una insurrección exitosa es una de esas afirmaciones contrafácticas que, por su naturaleza, son muy difíciles de demostrar, aunque se las puede apoyar con evidencia comparativa. La Europa Oriental de la postguerra presenció más de una rebelión popular, reprimida sólo con apoyo ruso, y en la ausencia de esta intervención era bastante probable que algún sector de los grupos

[22] Thomas Schreiber, *Hongrie: la transition pacifique,* Paris, Editions Le Monde, 1991; J. Obrman, "Czechoslovakia: Organized Labor, a New Beginning", en *Report on Eastern Europe,* Londres, 29/3/1991.

dominantes se plegara al movimiento, facilitándole la victoria y aun una cierta legitimación en términos del poder preexistente, como en Rumania.[23]

En Checoeslovaquia el Foro Cívico de Václav Havel representó el primer momento de unidad entre los opositores, pronto divididos obedeciendo a tendencias centrífugas, tanto sociales como geográficas. En lo que después fue la República Checa se generó, a expensas del Foro, una organización de base empresarial y neoliberal, el Partido Cívico Democrático, dirigido por el *thatcheriano* Václav Klaus, que obtuvo el 33,6% de los votos a mediados de 1992. Gobierna aliado con el Partido Demócrata Cristiano, la Unión Demócrata Cristiana y la Alianza Cívica Democrática, formando un bloque tan claramente de centro derecha como la alianza gaullista en Francia o la Democracia Cristiana alemana. Sectores más "social-liberales" del ya disuelto Foro Cívico, inspirados por Jiri Dienstbier, un ex comunista reformador y luego disidente, han quedado reducidos a una pequeña expresión, mientras que el propio Havel, aunque sigue siendo reelegido como presidente, es una figura cada vez más decorativa. En la Izquierda, el muy tradicionalista Partido Comunista de Bohemia y Moravia, que se niega a cambiar de nombre y no está del todo convencido de los *errores* del pasado, participa con pequeños aliados en un Bloque de Izquierda, y junta un nada despreciable 14,4% de los votos, flanqueado por los antiguos Socialdemócratas, con 7,3%.[24]

Los sindicatos oficiales, durante la agitación de 1989, intentaron distanciarse del régimen, condenando la represión que, en un comienzo, se ejerció, aunque sin plegarse a la huelga general convocada por la oposición y dirigida por los estudiantes. Los grupos obreros opositores decidieron mantenerse dentro de esta central sindical, en vez de crear una alternativa, y han llegado a dominarla, pero a cambio de no hacerle cumplir un rol central en el sistema de partidos políticos.

La situación económica en la República Checa es una de las más sólidas en Europa Oriental, debido, en buena medida, a las condiciones ya muy capitalizadas y desarrolladas del país, y a lo ordenado de su transición, que rápidamente ha llevado a la existencia de un bloque gobernante con mayoría sólida, y con ideas congruentes con las fuerzas hoy dominantes en el campo económico internacional. En la izquierda, se forma un núcleo de opo-

[23] Jan B. de Weydenthal, "Martial Law and the Reliability of the Polish Military", en Daniel L. Nelson, comp., *Soviet Allies: The Warsaw Pact and the Issue of Reliability,* Boulder, Westview Press, 1984; Ivan Volgyes y Dale R. Herspring, comps, *Civil-Military Relations in Communist Systems,* Boulder, Westview Press, 1978.

[24] Jacques Rupnik y Jaroslav Blaha, "La République Fédérative Tchéque et Slovaque en 1991", en Lhomel y Schreiber, *L'Europe Centrale et Orientale.*

sición, que, muy probablemente, una a comunistas (democratizados a medias, y aún no rebautizados), socialdemócratas y sindicalistas independientes. El nacionalismo y la xenofobia, tan dominantes en otros países del área, son débiles, a pesar de la existencia de una minoría alemana en los Sudetes. La Iglesia, predominantemente protestante, se mantiene en un segundo plano en la arena política.

Todo esto contrasta vivamente con lo que ocurre en la otra parte del antiguo país, Eslovaquia. Zona tradicionalmente rural y católica, con importantes minorías étnicas (un 10% de magiares, y algo menos de gitanos, *roms*), se trata de una nación-problema por excelencia, siempre absorbida en otros estados salvo en algún mítico pasado medieval. La Iglesia Católica ha sido, entonces, centro de identidades nacionales, y base de un separatismo que vivió un momento de aparente realización en el régimen autónomo, pero *satelizado* a Alemania, que existió entre 1939 y 1945, dirigido por monseñor Jozef Tiso, condenado luego a la horca.

Eslovaquia pasó por un rápido desarrollo económico durante el régimen comunista, muy centrado en la producción de armamentos, hoy sin clientes, generando una desocupación del 10%, no demasiado alta en comparación con Hungría y Polonia, aunque mayor que en la República Checa. El sector primario, que abarcaba al 50% de la población en 1950, se redujo al 15% al finalizar los años sesenta. En la actualidad, el producto per cápita queda por detrás del de la República Checa y de Hungría, aunque por encima del de Polonia.

La migración rural urbana asociada a la rápida industrialización de las últimas décadas reprodujo fenómenos como los de Polonia o los Balcanes, facilitando la creación de un partido de integración policlasista. Durante la agitación democratizadora de 1989, el equivalente del Foro Cívico, para Eslovaquia, fue el Público contra la Violencia. Éste, al igual que el anterior, pronto se dividió, quedando sólo una de sus ramas en buenas condiciones de salud: el Movimiento para una Eslovaquia Democrática, del separatista Vladimir Meciar.

Responsable principal de la creación del país, Meciar obtuvo, a mediados de 1992, el 37% de los votos y casi la mitad de las bancas legislativas, por un sistema electoral que favorece a las primeras minorías. Antiguo miembro de la jerarquía comunista desligado de ella desde hacía bastante tiempo, ha desarrollado una ideología violentamente nacionalista, y de orientación católica, que no desdeña una reivindicación del régimen de monseñor Tiso, quien —según lo que se cree de él— trató de morigerar en su momento los efectos de la inevitable dominación alemana. Hasta hace poco, iba muy lento en la vía de las privatizaciones, y hablaba de encontrar un camino intermedio entre el socialismo y el capitalismo, pero las necesidades de la vinculación económica con Europa Occidental lo empujan en una dirección parecida a la que adoptan los demás países del área.[25]

El panorama político en Eslovaquia, aunque también bipolarizado, como en la República Checa, no obedece a líneas ideológicas tan claras de Derecha-Izquierda. El respeto a las libertades públicas, por otra parte, está mucho menos arraigado. El lugar que en la hermana república ocupa la coalición gobernante de neta definición neoliberal está aquí ocupado por un partido más integrador, con ribetes nacionalistas populares, y poco convencido de las bondades del mercado libre. En la oposición, se perfilan los ex comunistas como la fuerza con mayor futuro.

En Hungría, la situación tras la caída del comunismo era bastante parecida a la checa, con un Foro Democrático mayoritario, actor principal de la transición, ahora claramente ocupando la derecha, aunque con dos corrientes internas: una, predominante, occidentalista y neoliberal; otra nacionalista y que desearía una apertura hacia "terceras vías" en lo económico.[26] A su izquierda se ubican hoy los Demócratas Libres, con fuerte representación de disidentes ex comunistas, con 24% de los votos en las primeras elecciones, y también con diversas tendencias internas. Rápidamente, se fue dando una polarización, quedando el Foro más dominado por su sector neoliberal y conservador clásico, y los Demócratas Libres orientados hacia la socialdemocracia, aunque evitando el nombre para no dar pábulo a que se los identifique con el régimen caído. Por otra parte, los Demócratas Libres desconfían de la tendencia del Foro a los compromisos *a la polaca,* y preferirían hacer más tabla rasa con las estructuras del antiguo régimen.

Los ex comunistas, divididos en dos formaciones (duros y blandos), se las han arreglado para retener un 15% de los votos en las primeras elecciones, sumando ambas facciones, a las que hay que agregar un muy pequeño Partido Social Demócrata de raíces de preguerra. En elecciones posteriores, se dio el retorno al poder del transformado comunismo, ya claramente de convicciones socialdemócratas, y protagonista de una bipolaridad con la derecha nucleada en el Foro.

[25] Renée Perréal y Joseph A. Mikus, *La Slovaquie: une nation au coeur de l'Europe,* Lausanne, L'Age d'Homme, 1992; Sharon Fisher, "Economic Developments in the Newly Indepedent Slovakia", en *RFE/RL Report,* 23/9/1993; y del mismo, "Is Slovakia Headed for New Elections?", en *RFE/RL Report,* 13/8/93.

[26] Istvan Szeleny, "La troisiéme voie", en *L'Autre Europe,* Nº 24-25, Paris, 1992; Istvan Bibo, *Misère des petits états d'Europe de l'Est,* Paris, Harmattan, 1986.

Jaruzelski, el Onganía polaco

Volviendo ahora a la situación polaca de 1980 y 1981, que es cuando se incubó la larga transición que se dio en ese país, es preciso analizar con detención el complicado rol desempeñado por el general Wojciech Jaruzelski, ministro de Defensa cuando comenzó la huelga de Gdansk y se creó Solidaridad. Ante las perspectivas de conmoción violenta, el partido decidió confiarle el cargo de primer ministro, en febrero de 1981, para que los recursos armados estuvieran más directamente coordinados con el poder civil.

Jaruzelski pertenecía al POUP, y provenía del así llamado Departamento Principal Político, sector "ideológico" de las Fuerzas Armadas, una especie de Sorbona a la polaca. Era visto como reformista moderado, y cuando fue designado, mereció un elogio de Walesa, quien sostuvo que se necesitaba un gobierno fuerte, que limpiara de corruptos al país. En una entrevista con el diario *Le Monde,* de París, Walesa dijo que "nosotros tenemos todos simpatía por los soldados, pues hemos hecho el servicio militar, y por mi parte he guardado buenos recuerdos [...] Me gustan los soldados [...] Tengo estima por [Jaruzelski]: pienso que es una persona decente, un buen polaco".[27]

En Polonia la retirada del apoyo soviético dejó una situación muy delicada, porque el régimen dominante había sido muy claramente una creación externa, a diferencia de lo ocurrido en Checoeslovaquia o Hungría, o también en Yugoeslavia o Bulgaria. Al debilitarse el poder ruso, se engrandeció el ejército polaco, siempre quisquilloso, al igual que la opinión pública de su país, respecto a los vecinos orientales. Por otra parte, el peligro de vacío de poder era mayor que en otras partes, pues la oposición no provenía de una clase media ilustrada, sino de un sector popular considerado como lleno de resentimientos y actitudes violentas y autoritarias.

Polonia tenía menor desarrollo industrial que Checoeslovaquia o Hungría, pero estaba más sometida a una amenaza de rebelión popular, quizás de tipo "populista" pero no por ello menos seria. Y, lo mismo que en América Latina, esa situación genera las condiciones para una intervención militar, orientada a reprimir la amenaza, o desviarla de manera de cooptar a sus dirigentes.

El mecanismo de la intervención se dio en dos etapas, y de manera legal, así es que, estrictamente hablando, no hubo en Polonia un golpe de Estado.

[27] Jean François Martos, *La contre-révolution polonnaise, par ceux qui l'ont faite,* Paris, Editions Champ Libre, 1983, págs. 48-50; Adam Michnik, *The Church and the Left,* Chicago, Chicago University Press, 1993.

De hecho, sin embargo, se dio un desplazamiento de gran parte del aparato civil del partido. El primer paso fue la designación, en octubre de 1981, de Jaruzelski, por unanimidad, como primer secretario del POUP, cargo mucho más importante que el de primer ministro que ya ostentaba. El segundo paso, como luego veremos, fue la implantación, a los dos meses, de la Ley Marcial.

El nuevo Primer Secretario, enfrentando a los duros del partido, buscó un entendimiento con Solidaridad. En esa organización político-sindical, Walesa tenía, a su vez, serios problemas con sus seguidores más exaltados. La autoridad principal del sindicato era su Comisión Nacional, de un centenar de miembros, algunos designados por el Congreso anual, y otros por las regionales para introducir un componente federal. La Comisión Nacional, a su vez, elegía un Presidium ejecutivo de 15 personas, donde se imponían los recomendados por Walesa. Éste, aunque controlando el Presidium, tenía gran dificultad en imponer su autoridad en la más numerosa y díscola Comisión Nacional, donde se lo criticaba por no enfrentar más decididamente al gobierno.

Walesa tenía cuidado en plantear sólo demandas económicas, sin pretender desplazar al partido de su rol hegemónico, por considerarlo imposible. Molesto con sus críticos, llegó a decir que si Solidaridad tomaba el gobierno, construiría un "sistema totalitario aun peor que el actual"; a su juicio, para que existiera la democracia en Polonia, se precisaban tres pilares: "consejos obreros, Solidaridad, y la administración del Estado-partido [...] El desplazamiento o debilitación de cualquiera de estos elementos debilitaría la democracia".[28]

Se dio entonces un juego de señales indirectas entre Jaruzelski y Walesa, entre ellas, una muy directa y secreta reunión de alto nivel entre el militar ocasionalmente jefe del partido, el emergente caudillo sindical, y el arzobispo Glemp, a comienzos de noviembre de 1981. Debe de haber sido una reunión digna de una obra de Genet, pero no se llegó a acuerdos definitivos, aunque sin duda se establecieron entendimientos para el futuro a pesar de que los dos actores principales estaban muy limitados en sus posibles movimientos por sus propios extremistas.

Una reunión de la Comisión Nacional del sindicato Solidaridad, en Gdansk, entre el 11 y el 12 de diciembre de 1981, fue la ocasión para que las posiciones más extremas, y por cierto irrealistas, fueran expresadas, y debidamente registradas por los servicios especiales del gobierno, que se

[28] Ost, *Solidarity and the Politics of Anti-politics,* págs. 134-135.

encargaron de propalarlas para que todo el mundo se enterara de la irresponsabilidad de ese movimiento. Walesa, encerrado en un resentido mutismo, sólo atinó a preguntarles a los activistas "qué habían comido ese día, que se expresaban de esa manera". A las pocas horas comerían el duro pan de la cárcel, pues el ejército los arrestó a casi todos, incluso, a miles de militantes. Es que el Consejo de Estado, máximo órgano de poder formal, acababa de decidir la aplicación de la Ley Marcial para restituir el orden.[29]

Jaruzelski organizó un Consejo Militar de Salvación Nacional para aplicar las medidas de seguridad, que pronto fueron aprobadas por el Sejm, para mantener la legalidad. En todos los ámbitos —administraciones municipales, empresas, órganos culturales, prensa—, se establecieron comités militares de vigilancia, empleando para ello un total de entre diez y doce mil oficiales y suboficiales, que en la práctica ejercieron el *rol directivo* del partido. Éste, de hecho, pasó varios meses en un estado de hibernación. Todos los sindicatos, organizaciones y periódicos autónomos fueron clausurados, restringida la movilidad interna, y cerrada la universidad. Según algunos observadores, era importante tomar esta medida antes de que con el año entrante se incorporaran los nuevos conscriptos, seguramente influidos por la propaganda de Solidaridad y menos confiables en el ejercicio de la represión. También era necesario adelantarse a la previsible intervención rusa.[30]

Una importante medida de Jaruzelski fue disolver también todos los sindicatos oficiales tradicionales y organizar otros nuevos, supuestamente independientes, aunque promovidos por el Estado. La reorganización comenzó en las empresas, permitiéndose, para el futuro, la coexistencia de entidades gremiales distintas, o sea, se instituyó la competitividad en el ámbito gremial, para estimular a estas anquilosadas organizaciones a renovarse, lo que efectivamente se consiguió. Tan así es, que se convirtieron en una facción bastante autónoma dentro del régimen, y llegaron a protagonizar, años más tarde, en 1988, la caída de un primer ministro (cargo, de todos modos, secundario repecto del de secretario del partido).

Solidaridad estaba por el momento disuelta, casi todos sus líderes presos, y sus bienes incautados. Hacia fines de 1982, al cumplirse un año de la intervención militar, los dirigentes en libertad de Solidaridad planeaban una huelga para señalar la fecha. Esto podía producir situaciones de violencia, que Walesa consideraba mejor evitar. Intentó entonces una negociación, dirigiendo desde la cárcel una carta al Presidente, firmada "el cabo Walesa",

[29] Wiatr, *The Soldier and the Nation,* págs. 162-166 y 174-176.

[30] Sanford, *Military Rule in Poland,* págs. 198 y 111-113.

en la que pedía entrevistarse. Aunque la entrevista por el momento no se realizó, el mensaje era claro, unido a los muchos ya antes enviados, y Walesa fue liberado y pudo ver al ministro del Interior. La huelga, ante las amenazas acerca de la aplicación estricta de la Ley Marcial, no tuvo acatamiento, pero el enorme despliegue de fuerzas de seguridad que el gobierno tuvo que realizar significó una victoria moral para el sindicato.[31]

En 1984 un grupo paramilitar, no suficientemente controlado por las autoridades, asesinó al cura Jerzy Popieluszko, ligado a Solidaridad. El escándalo fue mayúsculo, y llegó a esferas internacionales con sus inevitables secuelas financieras. El gobierno al fin encontró a los culpables, y contó con la comprensión de Walesa, que ostensiblemente evitó usar el tema para desestabilizar al régimen. Esto le costó la rebelión de varios sectores de su movimiento, especialmente, de la Confederación por Polonia Independiente, el grupo de Solidaridad Combatiente, y toda la regional del puerto de Szczecin, así como nuevos dirigentes jóvenes.

Hacia 1986 Solidaridad se dio una nueva organización. Ya era evidente que se trataba de un movimiento político, no un sindicato. Incluso los sindicatos ex oficialistas, convertidos en “independientes”, estaban demostrando bastante autonomía, y una capacidad de tener tantos afiliados como Solidaridad o incluso más. En 1991 alcanzaron la cifra de cuatro millones y medio de afiliados, contra los poco más de dos de Solidaridad.[32] Walesa disolvió la estructura clandestina, y reorganizó una Comisión Nacional Ejecutiva con diez representantes regionales y él mismo. La convergencia entre moderados del gobierno y de la oposición se estaba dando, y sobre ella se basó la transición. Pero el precio que tuvo que pagar Walesa —diferente de lo ocurrido en otros escenarios parecidos, en América Latina— fue la división de su movimiento.

Finalmente, en abril de 1989, se llegó a un acuerdo, denominado de Mesa Redonda, con la inevitable presencia de un dignatario de la Iglesia. Se convino en convocar a elecciones relativamente libres, pero con un gradualismo envidiable para más de un gobierno militar latinoamericano: las organizaciones oficiales se reservaban el 65% de las bancas del Sejm, dejando sólo el resto, y la totalidad de una nueva cámara, el Senado, a la libre competencia.

[31] Lech Walesa, *Un chemin d'espoir,* París, Fayard, 1987, pág. 425; Jacek Kuron, *Maintenant ou jamais,* París, Fayard, 1993.

[32] Patrick Hassenteufel, “Syndicalisme, transition démocratique et passage á l'économie de marché”, en Lhomel y Schreiber, *L'Europe Centrale et Orientale,* pág. 47.

Solidaridad, por cierto, arrasó con el sector libre del Sejm en los comicios de junio. Ése fue el momento elegido por los dos partidos tradicionalmente asociados al régimen, el Democrático y el Campesino, para saltar la valla: volcaron sus representantes (incluidos en el 65% fijo) a Solidaridad, permitiendo que Tadeusz Mazowiecki, líder de su sector católico liberal moderado, accediera al cargo de primer ministro, reteniendo en su gabinete a tres ministros comunistas, incluso, claro está, el de Defensa. Al mismo tiempo, la nueva Constitución creaba el cargo de presidente, en reemplazo del Consejo de Estado, que fue llenado por Jaruzelski según acuerdo previo, refrendado con dificultad en una votación del Congreso pleno.

Walesa se hizo a un lado, para evitar desgastarse ejerciendo un gobierno sin suficiente apoyo propio en el Parlamento. Su rol moderado, de todos modos, aunque esencial para asegurar la transición, lo obligaba a arrojar lastre por todos lados. Y por todos lados perdía adherentes: por la izquierda, enteras secciones locales de Solidaridad, en su sector sindical; por la derecha nacional-popular y estatista, a la Confederación por Polonia Independiente; hacia "arriba", los Cristianos Nacionales, más privatistas pero bastante entroncados con las tradiciones autoritarias y xenófobas de la Iglesia polaca; y hacia un costado, por ubicarlos de alguna manera, sus relaciones se hacían difíciles con los liberales moderados de Mazowiecki, de inspiración democristiana, o los más privatizadores friedmanianos de Bielicki.

Hacia fines de 1990, se convino en realizar elecciones directas para la presidencia, con la esperanza de homogeneizar el gobierno, trabado por los rozamientos entre el Primer Ministro democristiano y el Presidente militar ex comunista. La elección le dio la victoria a Walesa, con 40% del voto en la primera vuelta, y una concurrencia de sólo el 60%. Había un tercer candidato, el millonario ciudadano canadiense Stan Tyminski, quien juntó 25% de los sufragios, colocándose en segundo lugar, por delante de Mazowiecki; el cuarto puesto correspondió a un miembro del Partido Obrero Unido Polaco, con un 10% de los votos.

La fractura con Mazowiecki, antiguo colaborador y ahora rival derrotado en esos comicios, era ya definitiva. El ministerio de Economía quedó en un comienzo a cargo de Leszek Balcerowicz, tecnócrata ex comunista convertido en Gran Privatizador, y hombre de confianza de los organismos internacionales. Walesa, a pesar de haber ganado la presidencia, tuvo que encarar una cámara, que pronto también se renovó (octubre de 1991), donde era casi imposible formar una mayoría clara. El sistema, por otra parte, era básicamente parlamentario, reeditando las más caóticas escenas de la Tercera y de la Cuarta República francesas, aunque luego se lo modificó para otorgarle más atribuciones al Presidente.

Las recién referidas elecciones parlamentarias de octubre de 1991 (con 57% de abstención) son un caso extremo de pulverización de partidos, que deja al Brasil actual como un aprendiz. Es de notarse que el sindicato Solidaridad (para entonces ya legalizado, pero con apenas poco más de dos millones de miembros) no apoyó a los candidatos de Walesa, sino a los propios. Walesa, que formó una Alianza de Centro, no consiguió dominar la situación, en parte por haber roto con sus usuales aliados de la derecha católica, la Unión de Cristianos Nacionales. La lista de partidos, dejando de lado los ínfimos (que de todos modos suman un 12% del electorado entre todos) y los humoristas *Bebedores de Cerveza* (3%), se puede agrupar según el cuadro 4.1.[33]

Cuadro 4.1. Partidos en Polonia, elección de 1991

A. Derecha nacionalista y cristiana (22,0%)

1. Confederación por Polonia Independiente, nacionalista conservadora pero populista, opuesta a las privatizaciones que se han estado haciendo, con raíces en las etapas tempranas de Solidaridad: 7,5%.
2. Acción Electoral Católica, coalición de partidos derechistas, que incluye la Unión de Cristianos Nacionales, contando con el apoyo directo de la Iglesia, y a menudo aliados con Solidaridad: 8,7%.
3. Democracia Cristiana y Cristianos Democráticos, de derecha a pesar de su nombre de sugerencias centristas: 3,5%
4. Unión Política Real, de derecha pragmática: 2,3%.

B. Centro liberal y democristiano (19,8%)

5. Congreso Democrático Liberal, KLD, de Jan Krzysztof Bielecki, privatizador teórico y práctico, primer ministro al comienzo de la presidencia de Walesa: 7,5%.
6. Unión Democrática, de Tadeusz Mazowiecki, proveniente de los primeros tiempos de Solidaridad, ligada a los sectores más modernos de la Iglesia, pero habiendo incorporado a una buena cantidad de los originales activistas de izquierda del KOR, convertidos a la moderación: 12,3%.

33 Lhomel y Schreiber, *L'Europe Centrale et Orientale,* pág. 166.

C. Tronco principal proveniente de Solidaridad (21,4%)

7. Alianza de Centro, dirigida por Lech Walesa, con raíces obviamente en Solidaridad, pero muy combatida por los dirigentes del sindicato en ese momento: 8,7%.
8. Sindicato Solidaridad, expresión oficial de la entidad gremial, que planteó candidatos propios, separadamente de los propuestos por Walesa y su Alianza de Centro: 5,1%.
9. Solidaridad del Trabajo, escisión izquierdista de Solidaridad: 2,1%.
10. Alianza Campesina (de Solidaridad): 5,5%.

D. Ex comunistas y sus antiguos aliados (21,7%)

11. Alianza de Izquierda Democrática (SLD), que incluye al Partido Socialdemócrata, nuevo nombre de los antiguos comunistas: 13,0%.
12. Partido Campesino Polaco, o Popular Polaco, sucesor del Partido Campesino, antiguo aliado del régimen comunista ya totalmente autonomizado: 8,7%.

Era difícil hacerlo peor, queriendo.

Las relaciones entre el Presidente y esta Dieta fueron tempestuosas, y erosionaron aún más el apoyo partidario de Walesa, que vio rebelársele incluso a su propia Alianza de Centro. En setiembre de 1993, nuevas elecciones legislativas anticipadas (con 52% de participación) clarificaron el panorama, transformándolo radicalmente.

El vencedor, aunque sólo con el 20% de los votos, fue una Alianza de la Izquierda Democrática, dirigida por el Partido Socialdemócrata (ex comunista), flanqueado por sus ahora nuevamente aliados Campesinos, con un 15%.

En el centro, con el 11%, quedaba la Unión Democrática, de los católicos liberales moderados, que incluían a Mazowiecki y a la entonces primera ministra Hanna Suchocka; se le sumaba el apenas 5% del nuevo Bloque de Apoyo a las Reformas organizado por Walesa —nombre con igual sigla, BBWR, que el que había organizado Pilsudski en su tiempo— y otros de partidos menores imposibilitados de llegar al Parlamento por el mínimo exigible del 5% del voto (elevado a un muy exigente 8% para las coaliciones, forma en que se presentan muchas de las fuerzas políticas polacas). Entre estos excluidos, estaba el Congreso Liberal Democrático, de Bielecki, y la Alianza de Centro, que había sido el partido de Walesa y ahora se le había rebelado, y, de hecho, fue reemplazada por el BBWR. Éste fue un intento de revivir el proyecto de Solidaridad, organizando un movimiento con cuatro *patas,* para incorporar sindicalistas, campesinos, empresarios y empleados de gobiernos locales, quienes, supuestamente, deberían expresar de manera directa los intereses de sus sectores. De hecho, sólo consiguió minorías poco representativas, incorporando, de la antigua Solidaridad, principalmente al grupo *La Red,* formado por los dirigentes de las organizaciones más grandes.[34]

En la derecha, la alianza de los Cristianos Nacionales también quedó afuera (con el 6% de los votos), pero los populistas de la Confederación por Polonia Independiente consiguieron entrar, con el 6% del total, concentrados en un único partido. Finalmente, la estructura principal del sindicato Solidaridad no alcanzó a la barrera de entrada al Parlamento, aunque su sector más de izquierda, hoy denominado Unión del Trabajo, superaba apenas esa valla.

La situación, por lo tanto, quedaba radicalmente simplificada. Ahora, gracias a la pulverización del electorado, y a la barrera de acceso a la representación parlamentaria, el 36% de los votos obtenidos entre Socialdemócratas y Campesinos les permitía tener unos dos tercios de las bancas y formar gobierno, que, por cierto, fue entregado al menos irritante Partido Campesino. Su política siguió siendo fuertemente neoliberal, con sectores ex *nomenklatura* del ex Partido Comunista entre los más radicalmente convencidos de la necesidad de continuar en el camino privatizador. Tan así es, que al parecer muchos de los nuevos empresarios votaron por este partido, buscando al menos estabilidad. La misma Iglesia, ante la cariocinesis de los movimientos emergidos de Solidaridad, y de los propios partidos autodefinidos como cristianos, se está reorientando y busca convertir al Partido Campesino en su principal expresión en el campo político partidario.

La coalición entre los Campesinos y los ex Comunistas no deja de tener numerosos puntos de fricción. Por otra parte, la Constitución exige que tres ministerios clave sean consensuados con el Presidente. Es así que Walesa eligió a los ministros de Defensa, Interior y Relaciones Exteriores, uno de los cuales es un alto militar ex dirigente comunista, y otro, uno de los formadores del partido presidencial, el BBWR.[35]

[34] Louise Vinton, "Correcting Pilsudski: Walesa's Nonparty Bloc to Support Reform", en *RFE/RL Report,* 3/9/1993.

[35] Louise Vinton, "Poland: Pawlak Builds a Cabinet, Kwasniewski Builds a Future", en *RFE/RL Report,* 26/11/1993.

Walesa, resignado a la cohabitación, esperó su momento, pero éste tardó en llegar. En 1995 perdió la reelección presidencial, ante el candidato de la coalición campesino-comunista. Pero en 1997, un reconstituido movimiento Solidaridad, bajo su dirección, venció en las elecciones parlamentarias, imponiendo una cohabitación al revés. El nuevo movimiento político Solidaridad ya tiene poco que ver con el que Walesa creó hace casi dos décadas, y se mantiene unido sólo por el prestigio de su líder, de tipo carismático y populista. De todos modos, las alternancias en el poder se van imponiendo en Polonia, como en otras partes del Este.

Los países de la ex Yugoeslavia y Albania

Yugoeslavia estuvo siempre muy dividida entre su sección serbia, de religión ortodoxa y tradicionalmente aliada de Rusia y también de Francia, y su sección croata, católica, ligada al Imperio Austro-húngaro. Los serbios y los croatas hablan prácticamente el mismo idioma, también usado por los bosnios y los montenegrinos, bastante diferenciado del esloveno, al norte, y del macedonio-búlgaro, al sur. Todas las nacionalidades de la antigua Yugoeslavia son problemáticas, pero dentro de ese conjunto el rol dominante era el de Serbia, para quien el Partido Comunista cumplía un papel nacional basado en su lucha guerrillera autónoma durante la Segunda Guerra Mundial. Además, no tenía que competir con una Iglesia nacional fuerte, pues allí los ortodoxos, como en el resto de los Balcanes, en general han sido fácilmente manejables por el poder civil.

Es así que al comenzar la ola de democratización los dirigentes comunistas le cambiaron el nombre al partido, convertido ahora en Socialista, manteniendo todas las estructuras de gobierno. Bajo la dirección de Slobodan Milosevic (en el poder desde 1987), adoptaron un agresivo nacionalismo pan-serbio, orientado a incorporar sectores de las demás repúblicas donde viven sus hermanos de sangre, sin por eso tolerar los derechos de las fuertes minorías étnicas que el propio país alberga (húngaros en la Voivodina, en el norte, y un casi 90% de albaneses en la sureña Kossovo). Milosevic, con esta reconversión ideológica, ha reproducido en alguna manera el proceso rumano de continuismo con mezcla de valores nacionalistas y prácticas autoritarias, y cuenta con el apoyo del sector principal de las Fuerzas Armadas, que eran, en sus dos tercios, serbias. Ha llegado además a una distensión con la Iglesia Ortodoxa, simbolizada por la construcción de una gran catedral en Belgrado. Para robustecer su programa de afirmación nacional, Milosevic ha reformado la constitución, eliminando la autonomía de sus regiones étnicamente diversas (Voivodina y Kossovo), reprimiendo de manera implacable a la gran mayoría albanesa de esta última área, amenazada de "limpieza étnica". Estas actitudes, incrementadas con el tiempo, fueron la gota de agua que estimuló la separación de Eslovenia y Croacia, repúblicas que además, al ser más prósperas, sentían el empleo de fondos federales obtenidos en ellas para uso en las regiones más atrasadas.

En elecciones competitivas aunque no demasiado libres de 1990 el rebautizado Partido Socialista consiguió mantener una fuerte mayoría, venciendo la oposición del nacionalismo anticomunista del Partido de Renovación Serbia, de Vuk Draskovic, y del moderado y centrista Partido Democrático, donde se concentran muchos ex disidentes. En diciembre de 1992, una nueva consulta electoral le dio otra vez la victoria al Socialismo serbio, con 56% de votos para la presidencia, pero sólo 29% para la Asamblea. El rol del nacionalismo anticomunista quedó compartido entre el más extremista Partido Radical, dirigido por Vojislav Seselji (23% en la Asamblea) y la menos exaltada alianza DEPOS, de Draskovic (17%), dejando muy lejos a los Demócratas y a otros grupos étnicos y regionales. El apoyo de Milosevic se concentra en las zonas rurales, la población de edad, y los trabajadores urbanos; además, es mucho más alto que el que tienen los legisladores de su partido, todo lo cual da el típico modelo populista adoptado por varios de los movimientos ex comunistas del Este que han mantenido su presencia en las urnas. Nuevas elecciones parlamentarias anticipadas, en diciembre de 1993, confirmaron el predominio del Socialismo serbio de Milosevic, aunque necesitado del apoyo de algún sector de la oposición, preferentemente, los *ultras* del Radicalismo de Seselji.[36]

Este continuismo se ha visto alterado por una resistencia pacífica muy extendida, en parte, una reacción ante los genocidios de la guerra en Bosnia. La oposición consiguió éxitos municipales, pero no ha podido todavía desplazar a Milosevic del poder, pues éste, aun cuando no se lo podía reelegir constitucionalmente, consiguió imponer a un delfín en la primera magistratura.

En Croacia están aún vivas las tradiciones de la época austro-húngara, y no del todo rechazada la experiencia de la república semiautónoma colaboradora del nazismo durante la Segunda Guerra Mundial. Cuando la democratización desató las tendencias centrífugas de las repúblicas, el antiguo

[36] Milan Andrejevich, "The Radicalization of Serbian Politics", en *RFE/RL Research Report,* 26/3/93.

partisano y dirigente del Partido Comunista, convertido desde hacía años en disidente, Franjo Tudjman, formó la Unión Democrática Croata, que arrastró a un buen número de militantes ex comunistas.

En las elecciones de 1990, su partido consiguió el 42% de los votos, reflejado desproporcionadamente en las cincuenta y cuatro bancas conquistadas sobre el total de setenta y ocho de la legislatura, que lo eligió presidente. En segundo lugar, llegó el renovado pero maltrecho comunismo, que históricamente no estaba de ninguna manera identificado con la defensa de los intereses nacionales, como era en cambio el caso en Serbia. Rebautizado Partido de Cambios Democráticos, obtuvo el 25% del electorado, y en tercer lugar quedó una coalición centrista. Fuera de la política electoral, se formaba un grupo con actividades paramilitares, abiertamente admirador de la tradición *ustachi,* el "Partido del Derecho", dirigido por Dobroslav Paraga.

Con bastante apoyo europeo occidental, sobre todo de Alemania y Austria, Tudjman ha conseguido más respetabilidad internacional que su homólogo serbio, aunque sus tendencias hacia el culto de la personalidad y el tratamiento no demasiado respetuoso de la oposición se van acentuando. La transformación hacia una economía de mercado marcha con bastante decisión, y a pesar de la guerra, que ya ha abandonado sus fronteras, la situación económica es mucho más sólida que en el resto de la antigua federación, salvo Eslovenia.

En agosto de 1992, según la nueva Constitución, semipresidencialista a la francesa, se realizaron elecciones que volvieron a confirmar el rol preponderante de Tudjman, que sumaba 56% de los votos, aunque su partido sólo alcanzaba al 42%. En segundo lugar se ubicó ahora el centrista Partido Liberal Social, dejando al Partido de Cambios Democráticos (ex Comunistas) más atrás.

El control que Tudjman tiene de la situación, una vez que él se ha convertido en la principal expresión del nacionalismo de su país, y su apoyo en estructuras religiosas católicas, así como ciertas concomitancias con la tradición del nacionalismo de derecha colaboracionista de la Segunda Guerra Mundial, recuerdan la situación en la vecina Eslovaquia (ex Checoeslovaquia).

En Eslovenia, el sector más claramente "occidental" y étnicamente homogéneo de la ex Yugoeslavia, y tan católico como Croacia, aunque menos fanático a ese respecto, la separación fue relativamente poco conflictiva, y el régimen establecido más democrático, en parte por haber sido muy poco tocado por la guerra civil. A mediados de 1991, ante su declaración de independencia, las Fuerzas Armadas yugoeslavas, de hecho manejadas por los serbios, invadieron el país, pero a los pocos días tuvieron que retirarse por la presión internacional.

En un primer momento —aun antes de la declaración de independencia—, el Partido Comunista, apellidado de Renovación Democrática, venció en las elecciones de 1990 para el Ejecutivo, llevando a ese cargo, con el 58% de los votos en la segunda vuelta, a su prestigiado dirigente Milan Kucan, que había piloteado la transición. En las simultáneas elecciones legislativas, el ex oficialismo bajó a una posición muy modesta, aunque fue el partido más votado, ante una gran fragmentación de las preferencias ciudadanas. Esa fragmentación, sin embargo, se simplifica por la alianza de varios partidos —fundamentalmente Democristianos y Campesinos, más otros cuatro— en un frente, "Demos", que de esa manera ejerce el gobierno, en cohabitación pacífica con el presidente. El esquema se acerca al checo, con una derecha civilizada (y coaligada) en el poder, y un comunismo opositor, reducido a enclaves obreros y sindicales, incorporado al juego democrático, en este caso, con la nota adicional del rol que juega al ocupar la presidencia, aunque en un cargo con poco poder.[37]

La situación cambia cuando se pasa a las repúblicas del sur, a Bosnia y a Albania, herederas de antiguos enfrentamientos étnicos. De ellas la más simple es Montenegro, pequeño enclave montañoso con una minoría significativa de un 20% de albaneses y musulmanes, que por siglos había mantenido la independencia frente al poder turco. Para este país, es Serbia, cuya lengua y características étnicas comparte, la gran aliada histórica, y por eso, no se ha separado de la federación, actuando como aliada de Milosevic. El oficialismo tradicional, que retiene su antiguo nombre de Liga de Comunistas, pero dice identificarse con "la tradición europea del socialismo democrático", ha ganado fácilmente las elecciones de 1990, como en Serbia, con el 76% de los votos para su candidato presidencial en la segunda vuelta. La oposición se divide entre los modernizadores de la Alianza de Fuerzas Reformistas, los albaneses de la Coalición Democrática y los extremistas pro serbios del Partido Nacional.

Macedonia, con una mayoría ortodoxa, pero con un tercio de musulmanes (muchos de ellos albaneses), es otra nación fuertemente problematizada, hasta el punto de que más de un observador externo niega su existencia. Su población apenas se diferencia en cuanto a idioma y cultura de los búlgaros, razón por la cual Bulgaria se considera su protectora natural, dis-

[37] James McGregor, "The Presidency in East Central Europe", en *RFE/RL Report,* 14/1/1994.

puesta, incluso, a reincorporarla si fuera necesario. Grecia, en cambio, no tolera que exista un país con el mismo nombre que una de sus provincias, y que podría aspirar a anexársela. Ante la concentración de la atención del gobierno serbio en la guerra, en Bosnia, los macedonios se independizaron.

En las primeras elecciones libres, en diciembre de 1990, los ex comunistas, rebautizados Partido de Cambio Democrático y, luego, Unión Socialdemócrata, quedaron prácticamente igualados en la legislatura con los nacionalistas de derecha de la Organización Revolucionaria Interna de Macedonia (ORIM) —nombre tomado de un movimiento de lucha armada contra la ocupación turca de comienzos de siglo—; como terceros con capacidad decisoria, se ubicaron los albaneses del Partido de Prosperidad Democrática, autodefinido, sin embargo, como no étnico ni clerical. El potencial de conflicto étnico es bastante alto, pero por el momento, está mantenido bajo control. Kiro Gligorov, de la Unión Socialdemócrata, alto funcionario del régimen comunista yugoeslavo hasta el final, fue hábil en manejar la transición, y obtuvo el puesto de presidente, al que, de todos modos, le corresponde poco poder real. El gabinete está también dirigido por su partido, con apoyo de los albaneses del Partido de Prosperidad Democrática y de algunas otras formaciones liberales y socialistas. La oposición la dirige el ORIM, muy antagónico hacia la fuerte minoría albanesa, y que propiciaba, en sus primeras declaraciones, la incorporación de la Macedonia griega, además de mantener excelentes relaciones con el gobierno búlgaro. A los albaneses, se suman musulmanes étnicamente eslavos, que no hablan turco, y otros que hablan este idioma como materno y se diferencian étnicamente.

La economía del país sufre de la reorientación impuesta por su ruptura con lo que quedaba de Yugoeslavia, hacia donde se dirigían sus exportaciones, entre ellas, las de acero y otros bienes manufacturados de difícil competitividad internacional, lo que ocasiona reducciones de actividad y un incrementado desempleo.[38]

En Bosnia Herzegovina, zona fronteriza entre Serbia y Croacia, la mezcla étnica y religiosa (con un 44% musulmán pero eslavo) desafía todo análisis, que no es posible intentar en ningún detalle en este trabajo. Desde los primeros momentos de la democratización, antes de la actual guerra, la política tomó un cariz claramente étnico, aunque con posibilidades de colaboración entre sus componentes. Se impuso, con un 36% de los votos para el Parlamento, el Partido de Acción Democrática, musulmán, que llevó a la presi-

[38] Hugh Poulton, "The Republic of Macedonia after UN Recognition", en *RFE/RL Report,* 4/6/1993; Duncan M. Perry, "Politics in the Republic of Macedonia", en *RFE/RL Report,* 4/6/1993.

dencia a su líder Alija Itzbegovich, perseguido por años, por el régimen, acusado de "fundamentalista", mientras que otros lo comparan con Gandhi.

En segundo y tercer lugar, se ubicaron un partido étnicamente serbio y otro croata, que formaron gobierno junto a Itzbegovich. Los ex comunistas del Partido de Cambios Democráticos sólo se presentaron para la legislatura, donde consiguieron formar un bloque de quince diputados sobre ciento treinta. La colaboración interétnica pronto llegó a su fin, con un enfrentamiento primero entre serbios y croatas por la dominación o repartición de la república, y luego con la convergencia de ambas fuerzas contra los musulmanes, a la que sucedió una alianza entre croatas y musulmanes, con muchas alternativas bélicas.

En Albania, el régimen de Enver Hoxha comenzó a debilitarse con su muerte en 1985, y la llegada al poder del más aperturista Ramiz Alia. El país, con un 70% de musulmanes, y diferencias étnicas entre el norte *gheg,* de tradición anticomunista, y el más poblado sur *tosk,* enfrenta, entre otros, el reto de la gran cantidad de connacionales que viven en el vecino Kossovo, y con quienes la reunificación es bandera capaz de movilizar multitudes.[39]

Ante las protestas de todo tipo, que comenzaron a fines de 1989, el gobierno se vio obligado a hacer concesiones, que pronto se volvieron imparables. La conversión a los valores del mercado fue muy general; los sindicatos oficiales se hicieron autónomos, formando nuevas organizaciones independientes, con menor cantidad de afiliados, y una política propia en lo económico. El partido oficial, también aquí rebautizado Socialista, pudo, de todos modos, mantener una mayoría del 60% (aunque perdiendo la capital) en las primeras elecciones libres, realizadas en marzo y abril de 1991; parecía reproducir los procesos rumano, serbio y búlgaro.

El opositor Partido Democrático, dirigido por el médico Sali Berisha, ex miembro del partido gobernante, no tuvo suficiente tiempo para plantear su campaña, pero extendió su organización a todo el país. Con el tiempo, demostró estar mejor arraigado que los Socialistas. En 1992, nuevas elecciones legislativas le dieron el 62% de los votos, contra 26% de los Socialistas, y el resto para grupos pequeños.

Con estas elecciones el poder no pudo menos que ser transferido, asumiendo Sali Berisha la presidencia. Dentro de su Partido Democrático, que es en realidad una confederación de tendencias diversas, existen disidencias según el grado de limpieza que se quiere hacer de antiguos funcionarios comunistas. Los intelectuales resienten el estilo más populista, apoyado en

[39] Elez Biberaj, *Albania: A Socialist Maverick,* Boulder, Westview Press, 1990.

sectores rurales, de Berisha. Más tarde, elecciones municipales dieron un equilibrio entre su Partido Democrático (con 43,1% de los votos) y el Socialismo (con 41,3%). La situación se asemeja marcadamente a la de Bulgaria, con un renovado Socialismo capaz de transformarse en un movimiento de integración nacional aún poderoso, y una oposición de centro derecha con fuertes ribetes nacionalistas. En 1997 el Socialismo venció, ante el caos producido por una crisis financiera unida a corrupción, con lo que la alternancia sigue practicándose, aunque sin mucha estabilidad partidaria ni perspectivas de consolidación económica.

Partidos y democracia en el Este europeo: un balance provisorio

La consolidación de la democracia en Europa Oriental no puede menos que basarse en la interacción entre sus partidos políticos. Las numerosas tensiones existentes, imposibilitadas de expresarse durante décadas, han emergido a la superficie con virulencia, dificultando el proceso. Más complejo aún, y de pronóstico a menudo pesimista, es lo que ocurre en los países de la ex Unión Soviética.

Dos cosas llaman enseguida la atención: primero de todo, la celeridad con que se dio la caída de los regímenes comunistas, y por el otro, pasado su descrédito ante la derrota, la capacidad de sus herederos de recuperarse ante la opinión pública.

Los partidos Comunistas, en sus momentos de mayor arraigo, se basaban en una especie de coalición o convergencia entre dos grupos bien diferenciados: por un lado, la nueva burocracia técnica y administrativa, con su cúpula específicamente política, la *nomenklatura;* y por el otro, la clase obrera industrial, sobre todo en lugares en que había habido una significativa implantación del Comunismo en la preguerra o la inmediata posguerra mundial.

En los países de mayor grado de desarrollo económico, como Alemania Oriental, la República Checa y Hungría, a la caída del régimen se formaron nucleamientos de ideología claramente de centro-derecha liberal. Ellos, como sus modelos europeos occidentales o norteamericanos, son perfectamente capaces de ganar elecciones, pero sobre la base de una bipolarización, en cuyo lado opuesto sigue ocupando un importante lugar el ex Comunismo, convertido en Socialdemocracia, eventualmente con aliados con más tradición en esa ideología. Algo parecido ocurre en Eslovenia y en Croacia, las áreas de mayor desarrollo de la antigua Yugoeslavia.

En el otro extremo están los países que al finalizar la Segunda Guerra Mundial eran marcadamente rurales, y a menudo, sin significativos partidos comunistas. El resultado fue la formación de una clase obrera muy reciente, en la que se reproducen los fenómenos "latinoamericanos" de implantación de regímenes nacional-populares, de diversa ideología y composición. Cuando existen fuertes problemas de identidad nacional, tratándose de países dominados por largos períodos históricos por vecinos más poderosos, las condiciones para la formación de estos nacionalismos populares son máximas. Pueden tener componentes ideológicos de derecha, pero los combinan con una apelación popular que les da una característica diferente de la de los partidos, o coaliciones, más típicamente liberal-conservadores de los países más desarrollados del área, parecidos en eso a los de Europa Occidental. En muchos casos, se comprueba que el rol de partido nacionalista popular está cumplido por los propios rebautizados Comunistas.

Rumania es un caso típico de este fenómeno, habiéndose quedado en el poder, hasta muy recientemente, los herederos del antiguo régimen pro soviético, capaces de hegemonizar al electorado, y de reproducir estructuras que recuerdan al PRI mexicano. En Serbia se da un esquema parecido al rumano, en condiciones de exacerbado nacionalismo, también expresado por las antiguas estructuras de gobierno, que han echado por la borda gran parte de su legado ideológico, y del culto de la personalidad hacia figuras antes indiscutidas, como Tito. Montenegro también ha visto la manutención del predominio ex Comunista en las urnas. Bulgaria, Albania y Macedonia siguieron esta pauta en sus primeros momentos, y la mantienen en lo básico, pero alterada por ocasionales derrotas electorales ante rivales más bien de centro derecha, que incorporan también ellos apelaciones nacionalistas.

En enclaves étnicos particularmente problemáticos, como Kossovo y Bosnia Herzegovina, nuevas formaciones puramente étnicas dominan en el área electoral, desplazando a los comunistas, que, por su anterior trayectoria, no han podido asumir el rol de defensores de sus sentimientos nacionales.

Polonia es un caso de particular interés por la mayor longitud de su experiencia democratizadora, iniciada en 1980 y sólo parcialmente interrumpida por la intervención del general Jaruzelski. La rápida formación de Solidaridad, basada en apoyo obrero de reciente origen rural, fue casi un ejemplo paradigmático de populismo. Su posterior debilidad y explosión en innúmeros componentes parece ser una caricatura de lo que a veces se considera típico de esa clase de movimientos, como lo es su reconstitución bajo el liderazgo de Walesa en las elecciones legislativas de 1997.

5

Orígenes históricos del corporativismo argentino: el rol de la inmigración masiva

El tema del impacto que ha tenido sobre el sistema político argentino la gran cantidad de inmigrantes transatlánticos ha sido objeto de una serie de estudios y debates, que me parece conveniente revisar, para ver qué nuevos aspectos hay que investigar, qué convergencias existen, y qué es lo que realmente está en discusión. Para empezar, es preciso distinguir entre la condición de inmigrante y la de extranjero, que son cosas parecidas pero no iguales. La Argentina ocupa el primer puesto en el *ranking* mundial en cuanto a la proporción de extranjeros que albergó durante largas décadas de su formación como país moderno (aproximadamente, entre 1880 y 1930). Por lo menos ese campeonato mundial lo ha conseguido, aunque esté en el pasado. Lo que continúa hasta el presente son las consecuencias sociales y políticas de ese impacto. A mi juicio, la presencia de una cantidad de extranjeros tan grande, que además no adoptaban la ciudadanía, creó un vacío de participación ciudadana, con la consiguiente debilidad del sistema institucional, especialmente en lo que se refiere a los partidos políticos. Esta tesis es discutida por algunos colegas, cuyos puntos de vista trataré de reflejar en el siguiente análisis, con la menor mala fe de que soy capaz.[1]

La posición de los extranjeros en el espacio social

Comencemos por revisar algunos datos. Dentro de los países de inmigración masiva, la Argentina se destaca, junto a Australia y Nueva Zelandia, por haber tenido un muy alto porcentaje de inmigrantes sobre su población total, aproximadamente de un 25 a un 30% en la época mencionada, contra

1 Gino Germani, *Política y sociedad en una época de transición: De la sociedad tradicional a la sociedad moderna,* Buenos Aires, Paidós, 1962; Ezequiel Gallo, *Farmers in Revolt,* Londres, Athlone, 1976; Hilda Sábato y Ema Cibotti, "Inmigrantes y política: un problema pendiente", *Estudios Migratorios Latinoamericanos 2,* 4 (1986); Hebe Clementi, *El miedo a la inmigración,* Buenos Aires, Leviatán, 1984; Fernando Devoto y Gianfausto Rosoli, comps.,

un 15% para los Estados Unidos o el Canadá. Pero en Australia y Nueva Zelandia (y en el Canadá), la casi totalidad de los inmigrantes, en esa época, eran británicos, o sea, no perdían ni cambiaban la ciudadanía al cruzar el océano, y no tenían que amalgamarse con una población inmigrante preexistente, de diverso carácter étnico. En los Estados Unidos, sí eran extranjeros, como en la Argentina, y debían amalgamarse con los sectores nativos de más antigua inmigración, pero eran, proporcionalmente, muchos menos. Todos estos datos nadie los discute, aunque no siempre se distingue, en los análisis comparativos, entre la condición de inmigrante y la de extranjero. El inmigrante, aun transoceánico, en lugares como Australia, en que tanto el país de origen como el de destino están bajo la misma bandera, se comporta casi como un migrante interno. No está en juego el complejo problema de la formación de una nueva nacionalidad o, al menos, no en el mismo grado. Lo que ocurre, en todo caso, es la reproducción, en tierras nuevas, de un trozo de la antigua nación expulsora de gente, problema muy distinto del que le cupo en suerte protagonizar a la Argentina. Por otra parte, dentro de los extranjeros, hay que distinguir entre los que tomaban la ciudadanía y los que no lo hacían: en este rubro también la Argentina le "gana" a los Estados Unidos, porque entre nosotros los censos arrojan sólo un 2 ó 3% de nacionalizados sobre el total de extranjeros existentes, contra casi el 70% en el país del Norte. De manera que la diferencia ya importante entre un 30 y un 15% de nacidos en el exterior, se magnifica si se toman en cuenta sólo los que retenían su ciudadanía original.[2] De nuevo, este hecho no se discute, aunque las interpretaciones acerca de sus causas son diversas, y a ellas volveremos.

Ahora bien, esta competencia entre los Estados Unidos y la Argentina por el primer puesto en cuanto a cantidad de extranjeros, termina de definirse si se considera no sólo el número, sino también el *status* relativo de los inmigrantes en la sociedad receptora. Ocurre que los inmigrantes europeos en la Argentina ocupaban una posición relativamente alta en la pirámide social, a pesar de sus modestos orígenes: desde luego, tenían la aristocracia de la piel, y aunque muchos provinieran de zonas bastante atrasadas del sur de Europa, traían un caudal de cultura campesina o artesanal, que les facilitaba saltar por encima de las clases populares nativas, y aun de los estratos me-

La inmigración italiana en la Argentina, Buenos Aires, Biblos, 1985 y de los mismos autores, *L'Italia nella societá argentina,* Roma, Centro Studi Emigrazione, 1988; Carl Solberg, *Immigration and Nationalism: Argentina and Chile, 1890-1914,* Austin, University of Texas Press, 1970.

2 La cifra censual del 2 ó 3% no quiere decir que sólo esa proporción de extranjeros tomaba la ciudadanía, porque diversas cohortes de inmigrantes estaban incluidos en el recuento. De todos modos, el contraste con la cifra de los Estados Unidos es contundente.

dios del interior. En los Estados Unidos la situación era distinta, pues los inmigrantes del sur o el este europeos, o de Irlanda, tenían que aceptar una situación de clara marginación e inferioridad respecto de los primeros *settlers,* de origen inglés, escocés, alemán o nórdico. En cierto sentido, los italianos o polacos en los Estados Unidos se sentían como los paraguayos o los bolivianos en la Argentina de hoy: había —hay— una clase obrera nativa claramente "por encima" de ellos, por no hablar de la clase media, y aunque la movilidad era posible, había que adaptarse a las reglas de juego establecidas por la sociedad local. En la Argentina de comienzos de este siglo, la clase dirigente política era la que establecía, claro está, las reglas de juego en última instancia, pero en la sociedad civil el peso y el *status* social de los extranjeros era tan significativo, que se puede decir que los que tenían problemas de adaptación eran los nativos tanto o más que los extranjeros. Con esto no estoy tratando de minimizar el trauma de la inmigración, cuyas dimensiones psicológicas y sociales son difíciles de concebir. Simplemente señalo la posición de predominio social que en casi todos los órdenes de la sociedad civil adquirieron los extranjeros, y que no tiene comparación en prácticamente ningún otro país del mundo. Resultó entonces que dos clases particularmente estratégicas en un proceso de desarrollo y modernización capitalista, la burguesía urbana y la clase obrera, sobre todo la calificada, eran abrumadoramente extranjeras —no sólo inmigrantes— y retenían su ciudadanía original. Los argentinos se concentraban, en cambio, de arriba hacia abajo, entre los estancieros, los militares, los funcionarios públicos, la clase media tradicional, sobre todo del interior, y los sectores bajos de las clases trabajadoras.

Por supuesto que con el tiempo los hijos de los extranjeros fueron dando un tinte argentino, ciudadano, a las posiciones que ellos ocupaban en el espacio económico creado por sus padres, pero a pesar de eso los censos están ahí para señalar el 60 ó 70% de extranjeros que por mucho tiempo hubo entre los empresarios y los obreros urbanos. Y claro está que los hijos adoptaban en gran parte las actitudes de los padres. Pero ¿cuáles eran estas actitudes? Es difícil reconstruirlas con exactitud, pero mi hipótesis es que en gran medida implicaban una actitud de superioridad respecto al país, de desprecio hacia sus tradiciones, su sistema político, y su antigua composición étnica. En esto me separo de muchos de mis colegas, que señalan más bien el fenómeno opuesto y simétrico, de desprecio por parte de la clase alta criolla, y de algunos intelectuales, hacia los recién venidos, para quienes no escaseaban los motes, adoptados incluso por la población local de más modestos recursos. Es que en este espinoso y feo tema del orden del picotazo étnico, o de los mutuos desprecios humanos, los abismos a que se puede llegar son insondables, pero a ellos hay que asomarse porque son una parte de la realidad. Los desprecios de los unos no quitan los de los otros, pero cuando se hacen las sumas y restas finales, quedan dos hechos a mi juicio igualmente importantes, aunque de diverso grado de verificación:

1. Los extranjeros (no meramente inmigrantes) formaban, en la Argentina, y sobre todo en la burguesía y la clase obrera, un abultadísimo porcentaje del total, y gozaban de un nivel social muy alto en comparación con el que tenían o tienen en otros países.

2. Los extranjeros se sentían relativamente superiores al resto del país —con la excepción de la clase alta—, y ése era uno de los motivos por los cuales no se tomaban el trabajo de adquirir la ciudadanía.

La segunda afirmación, claro está, es más cuestionable que la primera. Es sabido que una buena parte de la dirigencia política argentina no tenía muchos deseos de facilitar la nacionalización de los extranjeros, cuya preponderancia y eventual izquierdismo se temía. Se han hecho, incluso, estimaciones del número de horas que se hubieran necesitado simplemente para hacer los trámites. Pero este último argumento no es válido para las capas más altas de la burguesía, que, sin embargo, también preferían retener la protección de sus consulados antes que la muy dudosa de las leyes argentinas. Respecto a las clases populares, bien podría algún sector político haberse decidido, como en los Estados Unidos, a facilitarles los trámites, a cambio de una contrapartida electoral. ¿Por qué no existió tal sector político? Se ha buscado a veces la explicación en las actitudes de los dirigentes partidarios argentinos, tanto los conservadores como los radicales, que no visualizaban la necesidad de incorporar al extranjero.[3] Aunque esta hipótesis puede ser atractiva en estos tiempos de rebelión contra los determinismos simplistas de tipo estructural, me parece que ella da excesivo peso a las variables actitudinales. Porque grupos que querían incorporar a los inmigrantes había, entre ellos el Partido Socialista, cuya prédica, de todos modos, fue desoída. Es demasiado fácil y esquemático decir que el socialismo se vio trabado en su acción por el régimen oligárquico, porque tal cosa no ocurrió

[3] Oscar Cornblit, "Inmigrantes y empresarios en la política argentina", *Desarrollo Económico* 6, 24 (1967). Algunos casos hubo de verdaderos intermediarios políticos, que se dedicaban a reclutar extranjeros y conseguirles la ciudadanía, a cambio de su voto (que era fácil de comprobar, porque no era secreto). El más conocido era un italiano, Cayetano Ganghi, que trabajaba para Figueroa Alcorta. Véase Solberg, *Immigration and Nationalism,* pág. 122.

en Chile, no menos oligárquico que la Argentina. Simplemente, los extranjeros, en su mayoría, no querían tomar la ciudadanía. En realidad, habría sido un poco absurdo, dada su posición en el espacio social, que quisieran hacerlo. Tan absurdo como que a un emigrante argentino de estos últimos tiempos, instalado en Venezuela para ganar más plata o por estar perseguido en su país, se le ocurriera la peregrina idea de adoptar la ciudadanía venezolana. Otra es la situación para ese no tan imaginario argentino cuando él se encuentra en un país que le impone más respeto, como los Estados Unidos o la Italia o la España de hoy. El tema, claro está, debe ser investigado más a fondo, buscando establecer una estructura de casos comparativos pasados y presentes que nos ayude a comprender el comportamiento humano en estas condiciones de desarraigo. En el estudio del impacto inmigratorio, hay que incluir, entonces, como variables centrales, la posición ocupada por los extranjeros en el espacio social, las percepciones mutuas entre ellos y la población local, y las actitudes de los recién llegados hacia las instituciones y tradiciones nacionales.

La participación política de los extranjeros

Dada la situación descripta —dejando de lado las hipótesis explicativas—, tenemos la siguiente cadena argumental, que se deduce casi automáticamente de los hechos:

1. Existía en la Argentina una gran masa de extranjeros, mucho mayor que en cualquier caso comparable, con mucho peso económico y social, y ellos no tomaron, salvo contadas excepciones, la ciudadanía.

2. Al no poder votar la gran mayoría de los miembros de la burguesía y de la clase obrera, estos grupos veían su influjo en las contiendas electorales y en la formación de partidos políticos seriamente reducido en comparación con lo que habría ocurrido en un país en que todo fuera igual excepto que los que eran extranjeros hubieran sido nativos (o, por lo menos, ciudadanos).

3. Por lo tanto, el desarrollo de un sistema institucional capitalista moderno se vio seriamente afectado, pues él depende, en buena medida, de la acción de las dos clases sociales antes aludidas: la burguesía comercial e industrial, y el proletariado.

Esta argumentación ya había sido hecha por Sarmiento, quien ponía énfasis en la incongruencia entre el peso económico y social de los extranjeros, que formaban la mayoría del país productivo, y su escasa participación política, medida por su falta de nacionalización. Germani volvió a señalar este hecho, dando por sentado que los extranjeros no participaban mucho en la actividad política. ¿Pero era esto realmente así? Porque, a lo mejor, la adquisición de la ciudadanía o el hecho de votar son aspectos muy periféricos de eso que puede llamarse realmente participación política. Tanto o más importante que el voto —siguen diciendo los críticos de la hipótesis germaniana— puede ser la actividad asociativa profesional o cultural, la protesta, la huelga, el enfrentamiento violento contra el orden establecido, o bien, en los sectores altos, la acción corporativa en defensa de sus intereses, la corrupción de funcionarios o políticos, el cultivo de la amistad y los negocios con los gobernantes. Ante esta panoplia de formas de participación, el mero ejercicio del voto parece reducido a una dimensión secundaria, *formal,* sobre todo, en etapas en que el fraude era endémico, como ocurrió hasta 1912, pero aun en condiciones más respetuosas del veredicto de las urnas. Por cierto que el poder verdadero no radica sólo en las elecciones, sino en otro orden de cosas, que van desde las antes mencionadas, la organización de intereses, la rebelión, o su contraria la represión y la intervención militar, hasta el simple peso del dinero. Todo esto es cierto en gran medida, pero se lo sobreenfatizó, sobre todo, en épocas en que cundió entre la intelectualidad argentina y latinoamericana un fuerte desprecio hacia la llamada "democracia formal". El resultado de esa actitud fue una especial preocupación por el estudio de los caminos "reales" hacia el poder, que no estaban tan automáticamente bloqueados por la condición de extranjero como el de las urnas.

Este aporte temático fue por cierto un paso positivo, aunque no puede decirse que los analistas previos, desde Sarmiento hasta Germani, lo ignoraran. Pero la investigación avanza, a menudo, a través de estas puestas selectivas de énfasis en determinadas dimensiones de la realidad. El enfoque que cuestiona la hipótesis tradicional acerca de la no participación política de los extranjeros ha generado una serie de investigaciones concretas que muestran importantes casos donde están involucrados inmigrantes. Pero demasiado a menudo se ha incurrido en una sobresimplificación de la teoría criticada, convirtiéndola en una especie de *straw man* o caricatura contra la cual es demasiado fácil anotarse tantos. Efectivamente, la teoría que podemos llamar clásica nunca sostuvo que los extranjeros no tenían ninguna participación política, o que no tenían opiniones o ideologías, o interés en lo que pasaba en el país. Incluso fue siempre un lugar común de la historiografía argentina el rol importante de los extranjeros en la formación de los partidos políticos de izquierda, en el sindicalismo y en el anarquismo. Por cierto que Germani no ignoraba este hecho, y hasta se puede decir que exageraba el papel de los extranjeros en la iniciación del movimiento obrero argentino.[4]

Para avanzar en este tema del impacto de la masa inmigratoria, es conveniente construir un esquema detallado del sistema político, definido en la forma amplia vista más arriba. Hay que superar el nivel usual de las discusiones que se reducen a demostrar que había —o no había— extranjeros en determinadas áreas de actividad política o protopolítica. Al observar con cuidado, en general se descubre que efectivamente había extranjeros, y a veces, muchos, en diversas áreas de ese frente de acción. Además de los casos muy conocidos arriba citados, ligados al movimiento obrero, se puede recordar la gran participación italiana en el Grito de Alcorta, así como las investigaciones de Ezequiel Gallo sobre los colonos santafesinos en 1893, o de Hilda Sábato y Ema Cibotti sobre la política de la provincia de Buenos Aires hacia las décadas de 1860 y 1870. La vinculación de los italianos con el mitrismo es un hecho bien documentado, así como su participación en legiones militares —algo mercenarias, quizás—, en las guerras civiles y en la del Paraguay.[5]

Como resultado de estas investigaciones, seguramente va a quedar una imagen más matizada de la intervención extranjera en política que la que se desprende de una interpretación algo esquemática de las tesis germanianas. Pensándolo un poco, habría sido extraño que una cantidad tan grande de gente, movilizada por la migración internacional y estimulada a la obtención de una vida mejor, no hubiera ejercido, a través de sus más inquietos representantes, algún influjo sobre la política local. Se trata, sin embargo, del monto y la forma de esa participación, y en eso creo que sigue siendo correcto el planteo *clásico* sarmientino-germaniano que señala la muy grave caída de participación que se deriva de la condición extranjera de la mayoría de los miembros de dos de las clases sociales más dinámicas y más protagónicas en un proceso de modernización y democratización paulatina de tipo capitalista.

[4] Como lo señala Tulio Halperín Donghi, en "Algunas observaciones sobre Germani, el surgimiento del peronismo y los migrantes internos", *Desarrollo Económico* 14, 56 (1975).

[5] Plácido Grela, *El grito de Alcorta,* Rosario, Editorial Tierra Nuestra, 1958; Gallo, *op. cit.;* Hilda Sábato y Ema Cibotti, *Hacer política en Buenos Aires: Los italianos en la escena pública porteña, 1860-1880,* Buenos Aires, Cisea-Pehesa, 1988; Eduardo José Míguez, "Política, participación y poder: Los inmigrantes en las tierras nuevas de la Provincia de Buenos

Pero veamos ya el esquema de funcionamiento de un sistema político, para usarlo como cartabón en el estudio comparativo. Se trata de saber en qué medida el sistema político es capaz de canalizar las tensiones y los conflictos que se generan en la sociedad civil, transformándolos en decisiones colectivas que permitan actuar sobre la sociedad en su conjunto.

Un esquema del sistema político

En cualquier sistema político, la participación de la población se da en una gama, un continuo desde lo más pasivo a lo más activo, que constituye una especie de destilación de energías y voluntades. Dentro de esa gama se pueden establecer tres grandes grupos:

1. *Los meros participantes:* son los que votan en elecciones (nacionales o municipales), y los afiliados a partidos políticos, sindicatos, asociaciones mutuales o culturales. El significado de cada uno de estos actos puede ser distinto según el tipo de sociedad. Así, por ejemplo, hoy día en la mayor parte de los países democráticos el hecho de votar —casi automático, a veces obligatorio— no significa gran cosa, y quizás no permite clasificar al que lo realiza como *participante;* distinta es la situación, en cambio, en sociedades donde el voto estaba restringido según el ingreso, o bien por la condición de extranjero. También, el hecho de ser afiliado a un partido refleja grados diversos de involucración según cuál sea el tipo de organización partidaria, y los requisitos para mantener la afiliación. En la situación argentina del período considerado (1880-1930), para poder calificar a alguien como "participante" esa persona debe haber sido votante, o si no, ser afiliada a algún partido, sindicato, mutual, o asociación cultural. Se trata, claro está, de criterios diversos y algo heterogéneos dada la peculiaridad de la sociedad muy extranjerizada. Aunque normalmente votar es lo menos importante, y lo más importante es afiliarse a asociaciones, en la Argentina de aquella época bien podía haber un

Aires en la segunda mitad del siglo XIX", *Estudios Migratorios Latinoamericanos* 6-7 (1987); Carina F. de Silberstein, "Administración y política: Los italianos en Rosario (1860-1890), *ibidem;* Fernando Devoto, "Programas y políticas en la primera elite italiana de Buenos Aires, 1852-1880", *Anuario* de la Escuela de Historia, Facultad de Humanidades, Universidad Nacional de Rosario, vol. 13 (1988); Beatriz Guaragna y Norma Trinchitella, "La revolución de 1880 según la óptica de los periódicos de la colectividad italiana", mimeo, presentado a las *Jornadas sobre Inmigración, Pluralismo e Integración,* Buenos Aires, 1984; Torcuato S. Di Tella, "Argentina: un'Australia italiana? L'impatto dell'immigrazione sul sistema politico argentino", en Bruno Bezza, comp., *Gli italiani fuori d'Italia: Gli emigrati italiani nei movimenti operai dei paesi d'adozione, 1880-1940,* Milano, Franco Angeli, 1983.

cierto sector de extranjeros que, aunque no votaran, tenían afiliaciones asociacionistas, y en ese caso, entraban en nuestra categoría de *participantes.*

2. *Los activistas:* pueden ser definidos como los individuos que concurren con frecuencia a las reuniones, las asambleas u otras acciones colectivas, o que ejercen cargos de delegados locales o sus equivalentes. Estamos aquí refiriéndonos a una minoría muy marcada de cualquier grupo social, por cierto no más de un 5 ó, a lo sumo, un 10% del total, salvo coyunturas muy especiales, y a menudo bastante menos que esa cifra. Se trata de personas con una motivación interna bastante fuerte (que puede ser más ideológica o más emocional, o aun meramente economicista), lo que las hace vencer barreras culturales o sociales. Debido a ello, en este contexto, la condición de extranjero no es un impedimento tan grande —dada la fuerte motivación existente en este grupo— como lo sería en el nivel de la mera participación. Sin embargo, hay que ver en qué medida el extranjero puede llegar a interesarse en este tipo de actividades, dado su mundo cultural y grupos de referencia. Es más probable para un extranjero llegar al activismo en los ambientes de la acción profesional, sindical, o cultural que en el del partido político, si ve que en éste no tiene muchas perspectivas de trascender dada su ausencia de voto. Claro que, si tiene suficiente motivación de activista, seguramente terminará por adquirir la ciudadanía. Es muy probable que el pequeño porcentaje de extranjeros que se nacionalizaban en la Argentina incluyera, desproporcionadamente, a este tipo de activistas.

3. *La elite política:* es éste un grupo mucho más seleccionado aún que el anterior, formado por quienes ejercen cargos directivos nacionales o regionales, a veces locales, así como por individuos prominentes en sus esferas de actividad, que debido a eso son incorporados a los círculos dirigentes de la organización. En este nivel, se puede actuar también a través del *lobbying,* los negocios, la presión personal, los vínculos de amistad y de familia. También se puede actuar desde posiciones ya no en asociaciones, sino en instituciones "guardianas" como las Fuerzas Armadas o la Iglesia, o la burocracia estatal. Para los extranjeros la acción en este nivel se da sobre todo en las áreas económicas y profesionales, siéndoles más difícil o imposible la acción en lo político partidario o en esferas como las de las Fuerzas Armadas (no así en la Iglesia).

Hay que ver cómo contribuye cada sector de la pirámide de estratificación social a las diversas formas de participación o activismo, en cada una de las áreas (desde lo económico-cultural hasta lo específicamente político-institucional) y según el grado de violencia involucrado. Como lo que nos interesa es el impacto de la inmigración masiva, hay que analizar, para cada canal de conexión entre estructura social y activismo político, la influencia que puede tener un gran número de extranjeros sobre el flujo de personas que circulan entre una y otra casilla conceptual.

La situación para los extranjeros, en cada uno de estos tres niveles (meros participantes, activistas y elite política), es distinta según el área de que se trate. Hay un primer grupo de áreas de actividad (económica, profesional, sindical, mutualista, cultural) muy ligadas a la vida diaria, a la defensa de intereses o expresión vocacional, que les es bastante accesible. En cambio en el área específicamente político partidaria, se precisa mucha determinación y vocación, para un extranjero, para superar la barrera de su falta de ciudadanía. También es posible que la situación deba diferenciarse cuando se encuentran contextos de mucha frustración, que llevan a la violencia. En estos casos, en que la gente está más presionada por las circunstancias, independientemente de su ideología, el sentirse más *contra la pared* posiblemente lleva al activismo a sectores normalmente más pasivos, y también a grupos extranjeros, movilizados por una situación límite.

En muchos de los países de donde venían nuestros inmigrantes, la participación electoral estaba limitada por exigencias de alfabetismo o de tipo censitario. Pero debe tenerse en cuenta que en este caso los sectores eliminados de la participación eran los más bajos de la pirámide social (campesinado y obreros sin calificación). En la Argentina, en cambio, justamente esos grupos tenían en principio el voto, y eran a menudo usados como masa de maniobra por los políticos criollos; mientras que los que no lo tenían eran quienes estaban por encima de ellos: la burguesía y el proletariado calificado. De ahí la incongruencia ya antes referida, como característica argentina, entre el peso económico-cultural y el político de las diversas clases sociales, que en cambio no se daba en equivalente medida en Europa.[6]

Como ejemplo tomemos, dentro de la pirámide social, a la burguesía comercial. Y analicemos, de sus varias formas eventuales de actividad política (en el sentido más amplio de la palabra), la que corresponde al nivel del activismo, en el área específicamente político-institucional (o sea, partidaria), y

[6] En España la Constitución gaditana de 1812, dada en circunstancias de guerra nacional revolucionaria, creó desde muy temprano una incongruencia entre el derecho de voto y la capacidad económica y cultural para ejercerlo, contradicción que fue luego corregida en diversas instancias de restricción del derecho de voto. Véase Josep Fontana, *La crisis del antiguo régimen,* Barcelona, Crítica, 1979.

en condiciones no violentas. ¿En qué medida la condición mayoritariamente extranjera de la clase considerada afecta la circulación de individuos hacia el casillero del activismo en partidos políticos? Obsérvese que lo que se busca no es simplemente determinar las simpatías políticas del grupo en cuestión, sino averiguar cómo contribuyen ellos a la existencia del casillero considerado del sistema político. Si resultara que abrumadoramente, para la burguesía comercial, las formas de involucración política privilegian las conexiones financieras, los negocios, las influencias detrás de escena, y dejan de lado el activismo en los partidos y también el voto, el resultado será algo bien distinto del paradigma europeo de desarrollo de la democracia liberal. No es que debamos dejar de valorar la importancia que en ese paradigma tienen las *connexions* de todo tipo de las que tan elocuentemente hablaba Edmund Burke, ni mucho menos dejar de dar su debido peso a los negocios, la corrupción y la amistad, bases poco brillantes pero sólidas de más de un sistema democrático liberal. Pero la retracción de toda una clase social de ciertas áreas de activismo político partidario no puede menos que dar pies de barro al sistema.

Contra esto a veces se arguye que, también en los casos de desarrollos más exitosos del régimen democrático liberal, a menudo los empresarios no son los más activos en el frente político partidario, y dejan esas tareas en las manos más expertas de los políticos profesionales, los miembros de la aristocracia, o a veces los mismos militares. Esto es en parte cierto, pero hay que analizar el tema en perspectiva comparativa y tratando de cuantificar algo las afirmaciones, aunque sea de manera muy aproximada. Efectivamente, desde ya podemos decir que en ningún caso el flujo de individuos de la esfera privada a la pública será o masivo o nulo. Siempre hay una selección, una circulación bastante restringida, especialmente en todo lo que supere la mera participación pasiva. Los motivos de retracción pueden ser muy diversos, y de ningún modo se limitan a la condición de extranjero. La existencia de regímenes dictatoriales, sean militares y caudillistas como en muchas partes de América Latina, o más tradicionalmente monárquicos autoritarios como en Alemania y otras partes de Europa, son obvios motivos de retracción. Pero siempre habrá minorías que se orientan a la esfera de la acción pública. Lo que se debe estudiar en el caso que aquí nos preocupa es cómo se daban esos procesos de circulación en la Argentina, cuáles eran los factores de estímulo o retracción, y en qué medida eran afectados por la condición de extranjero.

La formación de las actitudes entre los extranjeros

Los extranjeros estaban sometidos, por supuesto, a presiones sociales y económicas, principalmente ligadas a su pertenencia de clase y condición cultural, que operaban sobre cualquier individuo para determinar sus actitudes políticas. Pero además había algunos factores específicos que actuaban sobre ellos, que complementaban o corregían las determinaciones más generales. Estos factores específicos operantes sobre los extranjeros eran los siguientes:

1. El *corrimiento hacia arriba* en el *status* que ocupaban, que era más alto que el que correspondía a su ubicación ocupacional.

2. El efecto de *audiencia cautiva,* que predisponía, sobre todo en sectores populares y de clase media, a los extranjeros a aceptar el mensaje de ciertos ideólogos provenientes de sus países de origen.

3. La escasa *deferencia de status* que los extranjeros sentían hacia la clase alta nativa, lo que dificultaba las posibilidades de consolidación de una fuerza política conservadora moderna, además de que se pudiera o no votar por ella, pues la actitud se transmitía a los hijos.

4. La tendencia a privilegiar la *acción corporativa,* dada la poca repercusión que las iniciativas de los extranjeros podían tener en el ámbito electoral, del cual no formaban parte.

5. El aparente *internacionalismo,* que en realidad ocultaba un nacionalismo residual de sus países de origen, y que dificultaba las alianzas con otros sectores de la *política criolla.*

Veamos por separado cada uno de estos temas.

1. *El* corrimiento hacia arriba *del* status

Este fenómeno es de los más obvios. Dada la valoración étnica que tanto los mismos inmigrantes como la mayor parte de la población local tenían, los extranjeros formaban parte de un sistema de estratificación social algo dual. Ellos sentían, aun siendo pobres, que en el país había bastante gente más abajo que ellos, lo que dificultaba la formación de una conciencia clasista en el proletariado, sumándose al otro efecto, bien conocido y comentado, de la alta movilidad social, lo que es un fenómeno distinto, y que no está necesariamente ligado a la condición extranjera (aunque la pertenencia étnica en más de un caso ayudaba a ascender socialmente, o a evitar el descenso). Obsérvese que, en los Estados Unidos, este corrimiento hacia arriba no existía para los extranjeros, más bien sucedía lo contrario; en Australia tampoco se daba, siendo la situación en ese país más parecida (aparte la mayor movilidad social) a la del país de origen, Gran Bretaña.

2. *La* audiencia cautiva *para los ideólogos extranjeros*

Los extranjeros, en gran medida provenientes de zonas rurales atrasadas, traían una buena dosis de valores tradicionales, familiares y religiosos. El desarraigo del viaje transatlántico contribuyó mucho a abrirles nuevas perspectivas, a darles una experiencia de movilización social, o sea, de ruptura de vínculos verticales, aunque lo más probable es que su carga de tradicionalismo fuera todavía muy alta. Pero, al mismo tiempo, venía entre ellos una minoría de activistas e ideólogos, en general, socialistas, anarquistas o republicanos de izquierda. Para esos activistas, sus connacionales constituían una presa relativamente fácil, lo que los estudiosos de la comunicación social llaman una *audiencia cautiva.* Efectivamente, la nacionalidad común hacía que esa masa mayoritariamente campesina estuviera más predispuesta a escuchar el mensaje que lo que habría estado en sus aldeas de origen, o que lo que sería el caso si el mensaje lo emitiera un nativo criollo. Es cierto que, entre los extranjeros, también venían curas, pero éstos eran mucho menos numerosos que los otros, y había más distancia social entre ellos y el común de los inmigrantes. Para avanzar en el estudio de este tema, es preciso reconstruir las estructuras de influencia y de formación de opinión que estaban en funcionamiento. El resultado de esos mecanismos fue la difusión de actitudes socialistas o de izquierda entre la clase obrera, bastante en *avance* respecto de lo que se podría haber esperado de un país con este grado de desarrollo económico. Este fenómeno se daba también en los Estados Unidos, pero ahí los extranjeros sometidos a él eran un porcentaje menor del total de la clase obrera, y ésta, en sus componentes nativos, tenía ya otras vías de acción, especialmente a través del partido popular de la época, el Demócrata. En cuanto a Australia, estos fenómenos no tenían equivalente, dada la ausencia relativa de discontinuidades nacionales (salvo la que enfrentaba a los irlandeses con los demás, todos sin embargo ciudadanos británicos). La tendencia, por lo tanto, era a reproducir las condiciones de lenta emergencia de un movimiento laborista, como en la madre patria, pero más moderado por los efectos de la movilidad social.

3. *La escasa* deferencia de status *y la debilidad conservadora*

La peculiar posición que tenían los extranjeros en la pirámide social, ya antes mencionada, hacía que sintieran bastante poco respeto por las clases altas locales, a cuyos equivalentes en sus países de origen habrían considerado sus superiores naturales. En la Argentina, por más distinguidos que fueran, eran criollos, y ya eso los ponía en una categoría distinta. Este efecto, aunque presente en todos los niveles de estratificación, estaba particularmente preñado de consecuencias entre las clases medias y empresariales extranjeras. El resultado: debilidad del conservadorismo, que quedaba reducido en la Argentina a las fuerzas estancieriles, incapaces de cooptar a los díscolos burgueses, quienes preferían seguir soñando con sus países de origen, o en todo caso dar algún apoyo reticente a políticos menos oligárquicos, como los radicales o los demoprogresistas, aunque tampoco esto se daba en un comienzo en escala apreciable. Y no se diga que para la clase media o burguesía es lógico votar por partidos de su propia clase. No hay tal lógica, y la experiencia internacional demuestra que lo usual es que los sectores medios voten por partidos dirigidos por los altos, al menos en países medianamente prósperos, donde la cooptación social y política opera en forma más normal. Tanto en los Estados Unidos como en Australia, Nueva Zelandia, Canadá y la misma Gran Bretaña, los partidos conservadores (en algunos casos con el nombre de liberales o nacionales) son muy fuertes, porque cuentan con el apoyo de la mayoría de la clase media, e incluyen orgánicamente a casi toda la clase alta, de cuyo seno extraen numerosos dirigentes, militantes e ideólogos. Más difícil es que eso ocurra en los países del Tercer Mundo, y sobre todo en uno como la Argentina que, aunque no es realmente tercermundista, estuvo caracterizado durante tanto tiempo por la condición abrumadoramente extranjera de sus capas medias.

4. *El predominio de la* acción corporativa

La combinación de los factores ya señalados llevaba a privilegiar la acción corporativa, economicista, o en todo caso cultural, soslayando la actividad directa en partidos políticos. Las potencialidades desestabilizantes de esta pauta son muy grandes. Ella no se debía a una mera característica cultural, sino que derivaba, muy directamente, del predicamento en que se encontraban importantes clases sociales del país moderno. Es cierto que no sólo la situación de los extranjeros, sino también otros factores podrían haber llevado a esta forma de acción corporativa y poco respetuosa de los canales político-partidarios. En algunos países latinoamericanos de menor desarrollo que la Argentina, y con escasa presencia de extranjeros, también se dan a veces pautas corporativistas, y una reticencia de los sectores acomodados a entrar en el juego político. Sería preciso, de todos modos, para poder juzgar comparativamente el fenómeno, ver con mayor exactitud cómo se da en cada caso la participación política de la burguesía. Aunque no es éste el lugar para hacer una tan larga excursión, se puede señalar que, en muchos países latinoamericanos, existen fuertes partidos conservadores, lo que es una señal de acción menos corporativista por parte de las clases altas. Por otro lado, en la clase obrera de esos países, a menudo la tendencia a la acción política de signo socialista es mayor que en la Argentina, lo que también puede ser un reflejo de lo que ocurre en cuanto a ligazones entre el área económico-cultural y la político-partidaria en ámbitos populares o de baja clase media radicalizada.

5. *El* internacionalismo *y la dificultad de las alianzas*

El *internacionalismo* es una expresión ideológica muy obviamente ligada a la posición de los extranjeros en el sistema social, y que con facilidad se transmite a sus hijos. En la Argentina, sin embargo, él era más aparente que real: no implicaba un esfuerzo por superar los lazos tribales, sino que más bien reflejaba la persistencia de los que seguían atando a las comunidades a sus países de origen. Toda una masa mayoritaria del país moderno sentía nostalgia e identificaciones positivas fuera de sus fronteras: una situación fascinante para muchos observadores, pero era difícil construir con ella una nación. Y la reacción nacionalista no tardó en venir, generando toda esa larga serie de expresiones ideológicas xenófobas y nativistas que son la contracara del extranjerismo de amplios sectores del país. El resultado fue un país dividido en dos mitades culturales, de las cuales una, la criolla, estuvo mucho tiempo tapada, pero con el desarrollo urbano e industrial se vino del campo (o el interior) a la ciudad, y además influyó a las nuevas generaciones de hijos, o más bien nietos, de inmigrantes, que se iban adaptando a su condición de argentinos. En los Estados Unidos, previsiblemente, ese internacionalismo fue siempre mucho menor que entre nosotros, como resultado del menor peso que tenían los extranjeros en ese país. En cuanto a Australia o Nueva Zelandia, ahí la condición del inmigrante no producía internacionalismo, sino en todo caso anglicismo, que era el progenitor del espíritu nacional en formación, mera mutación del del viejo país de origen.

El sistema partidario argentino de comienzos de siglo

Para terminar, será útil hacer una breve caracterización del sistema político partidario argentino de comienzos de siglo, contrastándolo con los ejemplos —a menudo dados en aquel entonces— de Australia y de Europa Occidental, así como con el del más vecino Chile, menos usualmente tenido en cuenta, pero no por ello menos importante en una estrategia comparativa.

Tomaremos como punto de partida la célebre polémica entre Juan B. Justo y Enrico Ferri, en 1908, con motivo del viaje del político socialista italiano a Buenos Aires. Afirmó Ferri en sus conferencias que, en el sistema político argentino, faltaba un partido radical "como la gente", pues no se podía tomar en serio al "partido de la Luna", dirigido por Hipólito Yrigoyen. ¿Por qué no se lo podía tomar en serio al radicalismo argentino? Seguramente, por su carácter caudillista, su personalismo, las insondables estrategias del jefe, la falta de planes orgánicos de gobierno, en otras palabras, su pertenencia al área de la *política criolla.* En la Europa latina, en cambio, eran fuertes los partidos radicales "orgánicos", serios, basados, esos sí, en las clases medias productivas, y en algún apoyo obrero calificado (sin por eso debilitar demasiado a los conservadores). También en Gran Bretaña el partido Liberal, bajo el liderazgo de Lloyd George, se orientaba en dirección radical.[7] Había que hacer lo mismo en la Argentina, y Ferri le recomendaba al Partido Socialista cumplir ese rol si la Unión Cívica Radical no lo asumía. Porque en un país tan poco industrializado como la Argentina, no se podía pensar en un partido genuinamente obrero y socialista.

7 Octavio Ruiz Manjón, *El Partido Republicano Radical, 1908-1936,* Madrid, Ediciones Giner, 1976; Ernest Lemonon, *De Cavour a Mussolini, Histoire des partis politiques italiens,* París, Editions A. Pedone, 1938; H. V. Emy, *Liberals, Radicals and Social Politics, 1892-1914,* Cambridge, University Press, 1973; Kenneth Morgan, *The Age of Lloyd George: The Liberal Party and British Politics, 1890-1929,* Londres, Allen and Unwin, 1975.

Pero analicemos un poco más en detalle este argumento. ¿Cómo podría ser posible formar en la Argentina un partido moderno —radical o radical-socialista— si el país electoral no era moderno? Justamente los que votaban, debido al tipo de trabajo que realizaban y a las condiciones sociales en que vivían, no podían menos que tener una expresión política congruente con esas características. El país moderno —relativamente hablando— era el de los extranjeros, no porque los extranjeros trajeran la modernidad con ellos, sino porque ellos ocupaban los lugares de trabajo y los entornos sociales productores de ese tipo de mentalidad. Si los extranjeros hubieran participado en política de manera "normal" (o sea, como si no fueran extranjeros), seguramente habrían creado las condiciones para la existencia de un partido radical a la europea, o incluso de uno liberal, igualmente a la europea. Armar un partido a la europea no tiene nada de malo, sobre todo en un país que habría sido realmente muy parecido a Europa.

Justamente, en Australia había un partido Liberal, que con el tiempo fue englobando cada vez más a las clases medias y a la burguesía, y se transformó en el principal partido de la derecha.[8] El ejemplo australiano era muy tenido en cuenta en aquel entonces en la Argentina, porque eran obvios los parecidos, y porque el partido Laborista estaba ya muy cerca de ejercer el poder en el ámbito nacional. Ferri hizo una referencia lateral a este hecho, diciendo que lo que había en Australia, con el nombre de laborismo, era realmente un partido radical, no socialista, debido a lo limitado de su ideología y su programa. En realidad se equivocaba, porque el laborismo, aunque moderado en sus objetivos, tenía como columna vertebral a un combativo sindicalismo, y por lo tanto era un animal político bien distinto de los radicalismos europeos, enraizados en la clase media, con relativamente pocos (aunque no inexistentes) vínculos sindicales. Pero antes Ferri había dicho, usando una variante de la teoría marxista acerca del desarrollo de los partidos de la clase obrera, que en condiciones de escaso desarrollo industrial (como en Australia o la Argentina) difícilmente podría haber partidos fuertes de clase obrera. Ocurre que esa hipótesis es correcta sólo de manera muy aproximada. Aun con poca industria, si hay una fuerte urbanización, escasez de mano de obra, y alta movilización social inducida por la migración transoceánica, se dan condiciones para la formación de sindicatos fuertes, y también de partidos obreros con alguna versión de la ideología socialista. Éste era el caso, precisamente, de Australia, Nueva Zelandia y la Argentina,

[8] Gordon Greenwood, ed., *Australia: A Social and Political History,* Sidney, Angus and Robertson, 1955; Keith Sinclair, *A History of New Zealand,* Londres, Penguin, 1980; 1a. ed., 1959.

que debido a eso podían estar algo adelantadas respecto de los países europeos mediterráneos.

De hecho, el Partido Socialista argentino, aunque todavía débil en 1908, pronto evidenciaría, al amparo de la Ley Sáenz Peña, que podía reunir fuertes contingentes de votos, al menos en la Capital, con perspectivas de irse extendiendo gradualmente al resto del país. Esta extensión no se dio más que marginalmente, mientras que en Australia y Nueva Zelandia el laborismo cuajó y pervive hasta el día de hoy como ocupante casi exclusivo de uno de los dos hemisferios de la política. ¿Los motivos de la diferencia? Sería cómodo echarle la culpa —una vez más— a Juan B. Justo, su reformismo, su fascinación con el librecambio y la "democracia formal". Pero ocurre que todas esas lacras afeaban también al laborismo australiano, sin conseguir matarlo, ni siquiera herirlo.

Veamos: ¿cuál era el país electoral al que el Partido Socialista podía dirigirse a comienzos de siglo? Era un país sin burgueses y sin obreros, o casi. Lo de no tener burgueses no importaba para los socialistas, aunque podía ser grave para la derecha o los radicales. Lo de no tener, o tener muy pocos obreros en el registro electoral era en cambio gravísimo. Es casi un milagro que un partido autodefinido como socialista, y con componentes bastante radicalizados en su seno, obtuviera las fuertes votaciones que consiguió en la Capital ya desde 1912 y 1913. Los lazos orgánicos con la clase obrera sindicalizada (extranjera) inevitablemente se debilitaban, ante el peso excesivo que tenía la rama política, debido al tipo de electorado (nativo, pero en buena parte de clase media) que había que convencer para ganar elecciones. Si los extranjeros hubieran votado, o sea, si hubieran tomado la ciudadanía, es casi seguro que el Partido Socialista se habría extendido mucho más, al menos en el país moderno, lo que le habría dado un mayor arraigo que el que tuvo. Aún le habría quedado, en ese caso, el problema de cómo trascender al otro sector, "criollo", del país. Pero dadas las cosas como estaban, aun en el país moderno no podía echar sólidas raíces, porque su electorado potencial, su caudal de simpatizantes, no tenía acceso a las urnas, que constituyen, si no el todo, al menos una parte muy central del esquema de poder en un país semidemocrático y semiliberal como la Argentina de aquel entonces.

¿Qué habría pasado si en la Argentina hubiera habido muchísimos menos inmigrantes y, con una dotación de recursos económicos parecida a la que tuvo, su población hubiera sido casi completamente nativa? En realidad, sólo hay que mirar al otro lado de la cordillera para ver la más cercana aproximación a ese espejismo. Chile se parece a la Argentina y a Uruguay (y a la Europa mediterránea de aquel entonces) por su economía agropecuaria de clima templado, y su ausencia o menor peso de experiencias de esclavitud, o de conquista y superposición étnica, como en los países andinos. Y como nunca tuvo excesivo número de extranjeros, terminó por parecerse más a Europa que la Argentina o Uruguay. Es que estos países, justamente por tener en su seno demasiados extranjeros, se diferencian radicalmente del modelo transatlántico: en Europa no hay europeos, hay italianos, franceses, alemanes. Dicho de otra manera: en los países europeos, igual que en Chile, había muy pocos extranjeros, mientras que la Argentina, por su gran cantidad de extranjeros, entraba en otra categoría, era un país menos "europeo" que Chile. El resultado fue que el sistema político chileno era (y es) mucho más parecido al europeo que el argentino o el uruguayo.

En Chile había un Partido Radical que era más parecido a los europeos: no tenía un líder populista o enigmático como Yrigoyen, tenía componentes laicistas importantes (a diferencia del argentino), y estaba dispuesto a entrar en arreglos con los demás partidos para compartir el gobierno, criterio esencial para el Ferri de aquel entonces —ya superada su etapa revolucionaria— de madurez política. El Radicalismo chileno nunca había necesitado pasar por una larga etapa de abstención revolucionaria para acceder a las urnas. El tipo de arreglo que intentó Luis Sáenz Peña al traer al gobierno a Aristóbulo del Valle (líder radical moderado) en 1893 fracasó en la Argentina, pero estaba a la orden del día en Chile, donde constituyó la vía maestra hacia la apertura del sistema. Había, además, un partido Conservador y otro Liberal muy capaces de conseguir votos (algunos comprados) y que siguieron teniendo gran vitalidad, después de fusionarse y cambiar de nombre, hasta la actualidad. En la izquierda, en el Chile de 1908 todavía no existía un partido Socialista significativo, aunque pronto se lo formó, con vínculos orgánicos fuertes con la clase obrera organizada, y capacidad de penetración en las más diversas zonas geográficas del país, desde las salitreras del norte hasta las minas de carbón del área de Concepción y las estancias laneras del sur. Es que el país era más homogéneo culturalmente, no existía el abismo que separaba en la Argentina a regiones enteras dominadas por los extranjeros de aquellas en las que predominaban los nativos. Claro está que los extranjeros que había en Chile (un 4% hacia 1910) también ocupaban, como en la Argentina, una posición en el espacio social más alta que lo que sus ocupaciones justificaban. Pero eran tan pocos que tenían escaso efecto sobre el panorama político. El país político-electoral y el país real eran más congruentes. En Chile los analfabetos no votaban, pero eso justamente contribuía a la congruencia, pues eliminaba del electorado a quienes tenían una muy baja ubicación en la pirámide social (y no, a quienes ocupaban posiciones bien altas, como en la Argentina).[9]

Volviendo ahora a este país, es preciso hacer un par de comentarios sobre el Radicalismo. A veces se piensa que éste fue —o es— nuestro equivalente de un partido liberal burgués, y que los hijos de los inmigrantes que habían llegado a la condición de clase media fueron su principal electorado. Esto último, a la larga, fue cierto, pero eso no permite pasar por alto la fuerte diferencia entre un partido liberal o radical a la europea, y la Unión Cívica Radical. Así como el partido Socialista no podía ligarse orgánicamente con la clase obrera y sus sindicatos, el Radicalismo se veía privado del voto de los sectores más sólidos de la burguesía y la clase media empresarial, lo que lo dejaba en manos de la clase media provinciana o sectores marginales de la burguesía o aristocracia provincianas. Una vez más, incongruencia y falta de vinculación estrecha entre clase y partido, en contraste con Chile.

En cuanto a la Derecha, ya se dijo que ella tampoco podía establecer conexiones orgánicas suficientemente fuertes con la burguesía, el sector más modernizado y dinámico de las clases dominantes del país. El resultado fue un constante zigzagueo entre intentar controlar el país apoyándose en el extraño electorado que le quedaba o volcarse directamente al golpismo militar.

En este extraño país político, se desarrollaría el sistema partidario argentino por décadas, incluso las posteriores al gran impacto inmigratorio, pues las actitudes se prolongan en los descendientes, sin excluir ocasionales pero minoritarias reacciones hipernacionalistas. Éstas, sin embargo, estuvieron en general más concentradas en las clases altas y medias tradicionales, de las que un Ricardo Rojas y un Manuel Gálvez son ejemplos. En lo que respecta al nivel de masas en los grandes centros urbanos, el gran cambio en la identificación nacional se dio con el acceso del peronismo, basado en nuevas transformaciones en la estructura de clases, en parte nuevamente basadas en migraciones, pero ahora internas en vez de externas. Esta tesis germaniana, que a mi juicio exige adecuación pero no rechazo, no agota por cierto la problemática, que debe buscarse también en otros niveles, sobre todo el de las elites antagónicas al statu quo, acerca de las cuales ya se ha hecho mención. En los próximos dos capítulos se entra más centralmente en este tema, enfatizando el contraste con el Brasil y luego terminando con una excursión futurológica.

[9] Véase los trabajos de J. Samuel Valenzuela, Luis A. Romero y Fernando Devoto, en mi compilación *Argentina-Chile: ¿desarrollos paralelos?,* Buenos Aires, Grupo Editor Latinoamericano, 1997; y Sergio Grez Toso, comp., *La "cuestión social" en Chile: ideas y debates precursores, 1804-1902,* Santiago, Dirección de Bibliotecas, Archivos y Museos, 1995.

6 Argentina-Brasil: contrastes y convergencias

Contrastes sociales

Comencemos con una cierta mirada histórica, porque, aunque algún poeta ha dicho que "the child is father to the man", lo cierto es que todos venimos al mundo marcados, más bien, por lo que nuestros antepasados han hecho. ¿Pero quiénes eran nuestros antepasados? ¿Qué hacían ellos cuando nuestros países comenzaron a tener una vida independiente? Aquí la respuesta es bien distinta: los tatarabuelos de los brasileños de hoy, en su gran mayoría, en todos los niveles sociales, estaban en el Brasil; los nuestros estaban muy lejos, y posiblemente ni siquiera sabían que estos países existían.

El contraste es muy marcado, y ha sido objeto de repetidos análisis, aunque no siempre con enfoque comparativo. Mientras que la Argentina tuvo, como vimos en el capítulo anterior, durante décadas muy formativas, casi un 30% de extranjeros, el Brasil apenas superaba el 5%. Es cierto que, en San Pablo y en los estados del sur, esta última cifra subía significativamente, pero esa despareja distribución se daba también en la Argentina. Un resultado inevitable: debe de haber, al menos en las clases cultas, mucha mayor memoria histórica en el Brasil que en la Argentina, porque esa memoria se transmite en gran medida a través de las tradiciones familiares. En esto la Argentina contrasta no sólo con el Brasil, sino también con Chile, país, como ya se vio, con escasa inmigración extranjera, y que tiene un sistema político partidario muy moderno, el más parecido, en nuestro continente, al europeo.

¿Pero entonces deberían resultar el Brasil y Chile muy parecidos, contrastados ambos con la Argentina? No necesariamente, porque las estructuras sociales de ambos son bien diferentes, casi diría polarmente opuestas. En lo relativo a la estructura social básica, Chile es más parecido a la Argentina, por sus ya asentados y antiguos índices de urbanización, educación, vigencia de las clases medias, y temprana organización obrera y sindical.[1]

1 Datos recientes contrastan un 29% de la población económicamente activa dedicada a la ac-

Una consecuencia de la mencionada mayor memoria histórica existente en el Brasil (y Chile) es que hay allí fuertes partidos conservadores, con ese u otro nombre, característica que comparten con prácticamente todas las naciones desarrolladas y democráticas del mundo.[2] Por "partido conservador" entiendo uno que goza de sólidas raíces en las clases altas, y que tiene una ideología muy cercana a la visión empresarial de las cosas. Por lo tanto, incluyo en Chile tanto al Partido de Renovación Nacional (PRN), como a la Unión Democrática Independiente (UDI), ambos con más de un siglo de historia, dada su fuente en los antiguos partidos Conservador y Liberal. En el Brasil incluyo al Partido Progressista Brasileiro (PPB) y al Partido da Frente Liberal (PFL), ambos hijos, o nietos, de la Alianza Renovadora Nacional (ARENA) y de la União Democrática Nacional (UDN), incorporando también a sectores de la antigua derecha varguista, el Partido Social Democrático (PSD). En Chile ambos partidos conservadores obtuvieron un buen tercio de los votos, y algo más si se les suma la Unión de Centro Democrático de Errázuriz; en el Brasil el PPB (o más bien su previo sello, el PPR, Partido Progressista Reformador, que cambió de nombre al englobar a otra organización pequeña) y el PFL obtuvieron sumados un 30% en las elecciones legislativas de 1994. Aunque no estaban aliados, forman entre ambos un bastión claramente conservador, cualquiera sea su fraseología electoral, sus banderas regionalistas, o las alianzas a que el PFL se ha visto inducido con un centro y centro izquierda encarnados en Fernando Henrique Cardoso. Debe añadirse que en el Partido do Movimento Democrático Brasileiro (PMDB), problemático heredero en algún sentido del varguismo moderado, hay fuertes tendencias de derecha, que seguramente no son un buen augurio para su continuada unidad, ya erosionada por las múltiples escisiones que ha sufrido a lo largo de su existencia, desde que dejó de cumplir el rol aglutinador antidictatorial que desempeñó por muchos años.

tividad primaria en el Brasil, con un 12% en la Argentina; el contraste era mucho mayor durante los años cuarenta y cincuenta. Véase James W. Wilkie y Enrique Ochoa, comps, *Statistical Abstract of Latin America,* vol. 27, Los Angeles, University of California at Los Angeles Latin American Center Publications, 1989, pág. 299; Carmelo Mesa-Lago, María A. Cruz-Saco y Lorena Zamalloa, "Determinantes de los costos y la cobertura del seguro-seguridad social. Una comparación internacional enfocada en la América Latina", *El Trimestre Económico* 57, 1, enero-marzo 1990, págs. 27-43.

[2] España e Italia, hasta hace poco dos de las principales excepciones con respecto a la presencia de una clara Derecha en el espinel partidario, se han "normalizado" desde el progresivo fortalecimiento del Partido Popular de José María Aznar, y del movimiento Forza Italia de Silvio Berlusconi, con su aliado, la remodelada Alleanza Nazionale.

La fuerza electoral de un partido de derecha tiene dos patas. Una, que se debilita con el tiempo, es la del campesinado tradicional, que vota por sus patrones, o por los notables parientes de sus patrones. La otra, que se consolida con el tiempo, es la de la clase media urbana y moderna: sin ella nunca podría ganar una elección. Hay quienes dicen que existe una tercera pata, los *working class tories,* o *rednecks,* o incluso los sindicalistas burocratizados. Esta última pata es algo coja, o bien, no es realmente conservadora: me refiero a los sindicalistas. Podrán ser *socialmente conservadores* (opuestos a los *hippies,* los *gays,* los inmigrantes, despreocupados por derechos humanos, etc.), pero no hay, prácticamente, casos en los que ellos integren el principal partido conservador del país, o sea, el que tiene el corazón de las clases altas. Dejando para más adelante el análisis del rol de estos sindicalistas, veamos ahora la posición de las clases medias.

Lo normal para una persona de clase media es envidiar, pero, al mismo tiempo, admirar a los miembros de la aristocracia o del *jet set,* y por lo tanto, aceptar el liderazgo planteado por sus superiores jerárquicos. Votan, por consiguiente, en su mayoría, por los conservadores, sobre todo, después de haber pasado por etapas en que su preferencia va en buena parte a partidos centristas, como los Radicales, los Demócratacristianos, o los Liberales avanzados. ¿Pero qué pasa en un país como la Argentina, caracterizado por el impacto inmigratorio? Como vimos antes, éste fue mucho mayor entre nosotros que, prácticamente, en cualquier otro lugar del mundo. Se creó entonces un gran vacío de participación, pues la masa de la burguesía urbana y de la clase obrera de las ciudades, abrumadoramente extranjeras, no tenían el voto, porque no adquirían la ciudadanía. Esto era grave, como se argumentó en el capítulo anterior, ya que se trataba de los dos sectores sociales más estratégicos en la consolidación de un sistema político moderno. La consecuencia era la debilidad de un partido liberal burgués, o de uno social demócrata o laborista.

Por otra parte, se puede observar, en escala internacional, que la burguesía, en general, después de ser el apoyo de un Liberalismo rival de los Conservadores, termina por unificarse en uno solo de esos partidos, o en uno que los engloba, o en dos casi siempre aliados, todo lo cual forma la ya aludida solidez de la Derecha política. Pero si la burguesía, por su abrumadora condición extranjera, tendía a alejarse de la arena político-partidaria, esa característica —a menudo transmitida a sus hijos— también tenía que afectar la salud de un partido conservador moderno, no sólo al Liberalismo de una etapa más temprana. Eso es, precisamente, lo que ha ocurido en la Argentina: el país está demasiado desarrollado para tener el tipo de conservadorismo, en buena medida, arcaico del Brasil, y por otro lado tiene excesivo peso del componente extranjero como para emular el caso chileno. En otras palabras, la masa de la clase media o burguesía, de origen inmigratorio, ha heredado de sus padres un cierto desprecio hacia el "país criollo", en el que se incluye hasta a las clases altas locales, que no fueron capaces de infundir en ellos el respeto que en cambio se daba en el caso norteamericano.

Pasemos ahora a analizar lo que ocurre en el sector popular, en lo referente a la estratificación social y sus consecuencias políticas. Es sabido que el Brasil presenta diferencias de ingreso por regiones y estratos sociales mucho más marcadas que las de la Argentina, y en ese sentido se puede hablar, con mayor propiedad, de *dos Brasiles.* Durante los años cincuenta, aún existía una mitad de la población analfabeta, y también una mitad que vivía en el campo. Todavía hoy, después del gran incremento industrial del Brasil, éste tiene un porcentaje de población ocupada en la actividad primaria mucho mayor que la Argentina o Chile, y menores niveles de educación de masas (aunque un sistema educacional de elite más avanzado que el de esos dos países). Esta condición rural, acompañada del menor peso que históricamente ha tenido la clase media moderna, está ligada a la tardía aparición del sindicalismo y de partidos de centro, como la Unión Cívica Radical. Es sólo desde 1945 que se puede hablar de un sistema de partidos en el Brasil, por encima de los clanes "Republicanos" de la República Velha, o las *legiones* y partidos estaduales que se organizaron para apoyar a Vargas a comienzos de los años treinta.

Esta debilidad de la clase media está ligada al hecho de que, durante los años veinte, fueron los niveles medios del Ejército los que generaron actitudes disidentes, a través del tenentismo, que no tuvo un equivalente en la Argentina. En este país, existían el Radicalismo, y la Izquierda (Socialista y Comunista) para canalizar los sentimientos de protesta. Había también entre los uniformados una búsqueda de novedades dentro del campo del desarrollismo autoritario, pero éstas estuvieron fuertemente coloreadas por la Derecha, hasta que mutaron, durante la Segunda Guerra Mundial, hacia las posiciones del GOU, de las que emergió Perón.

Es a partir de 1945 que se da una convergencia e imitación mutua entre Perón y Vargas, tema al que volveremos. Se ha escrito mucho sobre las condiciones sociales detrás de la emergencia del peronismo, y de la faz populista del Vargas transformado de posguerra. Mi interpretación tiende a enfatizar el rol causal desempeñado por el surgimiento de nuevos industriales necesitados de *protección o muerte,* y de masas de recién venidos del campo a la ciudad. Es útil señalar, de todos modos, en este lugar, una característica de las masas obreras urbanas del Brasil: ellas son el resultado de una mucho mayor renovación humana, y trasiego de generaciones, que en la Argentina (o, en contraste mayor aún, Chile y Uruguay). En otras palabras: para un individuo de los sectores populares urbanos, en el Brasil, lo más probable es que sus padres no hayan vivido también ellos en la misma ciudad, ni siquiera en otra parecida, sino que hayan venido del campo, de ambientes en los que la conexión con la red informativa nacional era muy endeble. Resulta de esto una escasa memoria histórica, a ese nivel de estratificación. En la Argentina, en cambio, el habitante urbano muy probablemente habrá oído hablar a sus padres o a algún tío sobre su emoción al contemplar a Evita en el balcón, o sobre la huelga perdida o ganada, o sobre el apresamiento de Balbín y el cierre de los diarios de la oposición.

Esta situación de menor memoria histórica en los sectores populares brasileños contrasta con la que en cambio existe en las clases altas y educadas. La situación comparativa es un poco compleja, pues he dicho antes que en la Argentina la memoria histórica es en general menor que en el Brasil, refiriéndome al impacto inmigratorio externo de comienzos de siglo. Pero para períodos más recientes, la memoria es más fuerte en la Argentina, sobre todo en los estratos obreros. En el Brasil ella es fuerte en la clase alta, y débil en la popular, aunque no porque ésta haya sido extranjera, sino más bien por su condición rural y en gran medida semianalfabeta. Chile y Uruguay, que no tienen ni la tan extrema diferencia entre el campo y la ciudad del Brasil, ni un impacto inmigratorio tan marcado como la Argentina, muestran una memoria histórica directamente elefantina, en todos los niveles sociales, lo que explica la persistencia de sus sistemas partidarios.

Estos aspectos, unidos a otros coyunturales, son responsables de que el fenómeno popular brasileño, el varguismo, tenga raíces más tenues en las capas obreras y campesinas, caracterizadas por su mayor dependencia de redes clientelares conservadoras, y luego afectadas por una menor memoria histórica, y por ende más dispuestas a cambiar de lealtades. Es así que hoy la versión más radicalizada y caudillista del varguismo, la del Partido Democrático Trabalhista (PDT) de Leonel Brizola, está muy debilitada; y la línea moderada, del PMDB, ha perdido su connotación varguista, y se ha convertido en una versión más desorganizada, y potencialmente divisible por cualquier número primo, de su homólogo centrista de la Argentina, una Unión Cívica Radical (UCR) a la que se le unieran los partidos provinciales.

La menor profundidad de la conexión varguista con los estratos populares y la mucho más intensa transformación de su sistema productivo industrial explican que, en el Brasil, el panorama político en ese nivel social haya cambiado muy radicalmente en los últimos años. Al desaparecer de la escena el populismo getulista, éste deja lugar para una nueva izquierda, la del Partido dos Trabalhadores (PT), cuya cuna está en el área industrial del Gran San Pablo, el ABCD. También tiene mucho que ver aquí el rol de la Iglesia Católica, que ha generado en el Brasil un ala de Teología de la Liberación mucho más influyente que lo que pueda haber en la Argentina. Esa Iglesia de las Comunidades de Base ha contribuido en gran medida a la expansión del PT, dándole protección y dedicados militantes. En esto el fenómeno se parece al del Laborismo británico, donde, al decir de Herbert Morrison, su secretario general por largo tiempo, la "M" importante era la del metodismo, no la de Marx. Por otra parte, la competencia de las iglesias evangélicas y de los ritos afrobrasileños ha obligado en mayor medida al clero brasileño a remozarse para conservar su grey, en contraste con el argentino. En este país las masas ya habían sido ganadas al catolicismo, en los comienzos de la década de los cuarenta, por un clero también en su momento disidente, el de los que tenían simpatías falangista-populares, contrapuestas a las actitudes más tradicionalmente liberal-conservadoras, algo latitudinarias, vigentes entre las clases altas.

Si pasamos ahora a los regímenes militares, notaremos otra importante diferencia. En el Brasil, el período 1964-1985 fue, si no genuinamente constitucional, al menos reglamentario, pues las sucesiones presidenciales se realizaron sin golpes internos, con apelaciones al electorado, bien que de manera indirecta. En la Argentina, en cambio, todos los regímenes militares, desde 1943 a 1983, protagonizaron al menos uno, y en general dos o tres, golpes internos, cuyo recuerdo está aún suficientemente vivo como para tener que enumerarlos aquí. ¿Por qué esta diferencia? ¿Será porque los militares eran más indisciplinados, más autoritarios, más ambiciosos que sus pares brasileños o chilenos? Quizás ésa sea parte de la respuesta, pero es más probable que se trate de una consecuencia de una causa subyacente. Esa causa, a mi entender, es la naturaleza fuerte y amenazante, aunque no del todo revolucionaria, durante décadas, del peronismo. Este movimiento, representando en gran medida a una clase obrera urbana con más peso social que sus equivalentes en el Brasil o Chile, y con importantes *capitani del popolo* negociadores, ha sido siempre un aliado apetitoso para cualquier grupo civil o militar. Las luchas entre facciones gobernantes, que siempre existen, han tenido en la Argentina desde la Segunda Guerra Mundial una posible forma de generar un vencedor: aliarse con el peronismo, con el objetivo, claro está, de dominarlo. Pero esto último no es tan fácil, ya que si la facción innovadora se impone —mediante un golpe de Estado, o un pacto electoral, como el de Arturo Frondizi—, pronto los aliados se convierten en huéspedes insoportables, la alianza se rompe, por el excesivo peso de su componente popular, y se vuelve a fojas uno.[3] La principal forma de terminar con este eterno retorno es la conversión del peronismo en un movimiento ya no amenazante, sino, a lo sumo, distributivista, rival pero no enemigo del *Establishment.*

En conclusión, quedan planteadas como hipótesis de trabajo las siguientes características de ambos países:

1. En el Brasil hay mayor diferencia entre los niveles de vida de los sectores urbano y rural, y mayor renovación humana en los estratos populares, lo que va asociado a una menor memoria histórica, y a un más fácil cambio de orientaciones político-partidarias en ese sector.

2. En la Argentina ha habido una mayor renovación histórica en las clases medias y altas, debido al impacto inmigratorio, lo que genera menor memoria histórica que entre sus pares brasileños, y menor fuerza de un partido liberal burgués o conservador.

3. Las Fuerzas Armadas, en sus intervenciones políticas, han actuado de manera más disciplinada en el Brasil, en parte, debido al control que sobre ellas ejercen los sectores civiles de derecha, en contraste con la tentación en la Argentina de emplear al peronismo como potencial aliado en la lucha por el poder.

4. Un partido socialdemócrata era, en la Argentina, durante la primera mitad del siglo, más débil que en países de equivalente desarrollo económico y cultural (como Chile o Australia) debido al gran porcentaje de extranjeros no nacionalizados que había en la clase obrera.

5. En la Argentina, debido a los mecanismos descriptos en el punto 1, el peronismo ha sido más fuerte, y ha estado más estrechamente ligado a la clase obrera urbana, que su equivalente brasileño. Esto, sumado a la menor intensidad de los cambios económicos, le ha facilitado el seguir vigente hasta la actualidad, ocupando el lugar que al quedar vacante en el Brasil por la

[3] Guillermo O'Donnell se ha referido a este proceso como "el juego imposible" en su *Modernización y autoritarismo,* Buenos Aires, Paidós, 1972, cap. 4.

desaparición del varguismo, ha facilitado la formación de una nueva izquierda, el Partido dos Trabalhadores (PT).

Vidas paralelas: Vargas y Perón

Un Plutarco redivivo, que quisiera dar a conocer a los ciudadanos de la región las hazañas de sus personajes más célebres, sin duda incluiría al binomio Perón Vargas. Sin pretender emular al historiador griego —cuya metodología seguramente sería objetada por mis colegas más científicos—, una exploración de este tema realizada bajo el signo del comparativismo sociológico puede echar luz sobre nuestra evolución social y perspectivas futuras.

Vargas se suicidó para evitar un golpe de Estado, mientras que Perón vivió hasta morir en el ejercicio del mando. Pero el varguismo ya no existe, mientras que el peronismo perdura, aunque cambiado. Por otra parte, Vargas es hoy una figura histórica poco discutida, y las avenidas que llevan su nombre no producen escozor en quienes las transitan, a diferencia de lo que ocurre con las que recuerdan el nombre del político argentino o de su esposa. Perón dejó una cantidad de libros en los que desarrolla su doctrina, mientras que Vargas, además de sus discursos, prácticamente sólo dejó un muy interesante Diario íntimo, y una familia —en el sentido estricto y en el más amplio de la palabra— que se ocupa de que ante su tumba se celebren los ritos correctos.[4]

La comprensión de estos dos personajes exige un examen de las condiciones sociales vigentes en los dos países en que actuaron. Las imágenes más conocidas de las "vidas paralelas" arrancan en 1945, año en que comenzó a haber una fuerte convergencia entre los roles políticos de ambos dirigentes. Pero Vargas (unos diez años más viejo que Perón) tenía una muy larga historia política anterior, pues había llegado al poder a través de la revolución cívico-militar de 1930, y ya antes había sido gobernador ("presidente") de un importante estado, Rio Grande do Sul. O sea, era un miembro de la vieja clase política. Por otra parte, aunque ostentaba un grado militar, algo habitual entre los hacendados tradicionales, nunca tuvo como profesión la de las armas.

[4] Getúlio Vargas, *Diário,* 2 vols., Rio de Janeiro, Fundaçao Getúlio Vagas, 1995; Alzira Vargas do Amaral Peixoto, *Getúlio Vargas, meu pai,* Porto Alegre, Globo, 1960; Valentina da Rocha Lima y Plínio de Abreu Ramos, *Tancredo fala de Getúlio,* Porto Alegre, L&PM Editores, 1986.

A partir de 1930, pasó por diversas etapas, principalmente la de gobernante "provisorio" pero renovador (hasta 1934), la de presidente constitucional (hasta 1937), la de dictador "desarrollista" con una Constitución de inspiración corporativa (hasta ser depuesto en 1945), y luego de un intervalo, fue de nuevo presidente, esta vez democrático y orientado hacia la izquierda (de 1950 a 1954). ¿Será esta trayectoria un ejemplo del "movimiento browniano" que según algunos de nuestros críticos caracteriza el comportamiento de los políticos en esta parte del mundo? Quizás lo sea, pero de todos modos haré un intento por establecer un poco de orden en ese tipo de trayectorias, viendo si un sistema aunque sea ptolemaico puede aclarar las cosas, hasta ponernos al menos en el nivel de los aclamados pero no muy consecuentes *whigs* y *tories* que fundaron el régimen de las libertades públicas en Inglaterra.

Perón también osciló entre una inspiración mussoliniana —aduciendo, en sus últimos años, que el *Duce* estaba realizando "una versión local del socialismo"— y una admiración por Mao, cuyos intentos por construir el socialismo quizás hayan estado tan alejados de la meta como los del italiano, aun cuando gozaran hasta hace poco de mucha mayor credibilidad.

En sus comienzos riograndenses Vargas pertenecía al Partido Republicano local, de convicción comtiana, claramente orientado hacia la formación de gobiernos fuertes, capaces de realizar transformaciones profundas en el sentido de la modernización. Pero este partido apenas si merecía tal nombre, y lo mismo ocurrió luego, con los varios intentos de formar partidos oficialistas, o más bien *legiones,* que los tenentes enviados como interventores intentaron establecer, con éxito modesto, y a lo sumo en escala estadual. De hecho, aun en 1937, con el autogolpe del Estado Novo, Vargas no pudo establecer un partido oficial, y por eso prefirió disolver a los pocos que había, desde los que lo apoyaban hasta los opositores liberales, fascistas o comunistas. Es así que el régimen del Estado Novo nunca tuvo las características de un verdadero fascismo, pues al no tener un partido oficial el ejercicio del totalitarismo le resultaba difícil, y a lo sumo constituyó una dictadura tecnocrática, que es otra cosa. Tampoco organizó Vargas el sistema de representación corporativa que la nueva Constitución mandaba, pues aduciendo la situación crítica fue posponiendo ese momento hasta que lo alcanzó la primavera de liberalización del fin de la guerra.

Como es sabido, en 1945 Vargas convocó a elecciones libres, presionado por la opinión pública y por los militares, cansados de la prolongación de su mandato, y preocupados ante las tendencias a inspirarse ahora en el exitoso ejemplo de movilización de masas que realizaba Perón. Para enfrentar esta encrucijada, Vargas creó dos partidos, al igual que su émulo argentino. Perón tenía, por un lado, el Partido Laborista, con fuerte anclaje sindical, cuyo nombre significativamente calcaba el del partido obrero inglés; y por el otro, la Unión Cívica Radical, Junta Renovadora, agrupación poco orgánica en la que se juntaban políticos sueltos, muchos de ellos ligados a redes caudillistas provinciales. Significativamente, ambos partidos fueron unificados de un plumazo por Perón poco después de su victoria electoral en 1946, evidenciando la característica verticalista, y el gran poder del líder que operaba sobre una masa en su gran mayoría ya bastante movilizada pero poco acostumbrada a la acción asociativa.[5]

La alianza varguista y sus mutaciones

En Brasil Vargas también formó dos partidos, ambos usando nombres tomados de la experiencia socialdemócrata europea, pero nunca los pudo unificar, no porque no quiso, sino porque no pudo, o a lo mejor no quiso sabiendo que no podía. Para el sector popular urbano, apenas sindicalizado, y eso en estructuras mucho más dependientes del gobierno que las argentinas, formó el Partido Trabalhista Basileiro (PTB); para los notables locales, sobre todo de los estados más periféricos, a menudo sólidamente conservadores aunque resentidos contra el dominio centralista, organizó el Partido Social Democrático (PSD), cuya sigla, a diferencia de la del PTB, era un mero nombre de fantasía.

De los dos partidos varguistas, casi permanentemente aliados durante el periodo democrático que se extendió hasta 1964, el que obtenía más votos era el PSD, dadas las características del electorado nacional. Pero en cada comicio, con el aflujo de gente a las ciudades, el peso del PTB aumentaba, y los sectores radicalizados en su seno se volvían más activos. De todos modos, como se argumentó ya antes (capítulo 3), la alianza PSD-PTB era en algún sentido un equivalente del PRI mexicano, o del Partido del Congreso en la India, o sea de un partido de integración policlasista, aunque con dos cabezas, y sin una revolución previa. Esta ausencia de una revolu-

[5] No es posible aquí citar toda la extensa bibliografía acerca del rol de los sindicatos preexistentes en la formación del peronismo, o del grado de autonomía con que operaron los dirigentes que se le acercaron. Puede verse el trabajo de Juan Carlos Torre, *Perón y la vieja guardia sindical,* Buenos Aires, Sudamericana, 1990, y mi posición, algo distinta, que enfatiza más la dependencia con que actuaron los jefes sindicales, en *Sociología de los procesos políticos,* Buenos Aires, Eudeba, 1986.

ción —a pesar del sesgo renovador del varguismo— puede ayudar a comprender el hecho de que, a diferencia de México, en el Brasil había y hay una Derecha electoralmente fuerte (UDN, luego ARENA, y hoy PPB más PFL). Durante la vigencia de la coalición varguista, había una izquierda electoralmente débil (el Partido Comunista Brasileiro era su principal componente), situación en esto parecida a la mexicana.

Luego se llegó a la radicalización extrema de la etapa goulartiana, en una convergencia con toda la izquierda. En esa coyuntura se estaban dando las precondiciones para un desenlace revolucionario, promovido desde el Ejecutivo y su *entourage* a través de un autogolpe, como en 1937, pero esta vez de izquierda. Quizás la eventual revolución no hubiera sido exactamente "socialista", pero sí suficientemente amenazante y expropiadora como para alterar a las clases propietarias, tal vez siguiendo un modelo intermedio entre la Revolución Mexicana, con altísima movilización de masas, y la muy posterior y más controlada Revolución Peruana, o alguna de las que se han dado en el mundo árabe o en África.

Esta reorientación de izquierda había sido impulsada ya por el último Vargas, cuando afirmaba que había dos formas de democracia, una de las cuales era la "liberal y capitalista [...] basada en la desigualdad", mientras que la otra era "la democracia socialista, o democracia de los trabajadores", por la que combatiría en beneficio de la colectividad.[6] Durante la agitación que precedió al golpe militar de 1964 se produjo la ruptura de la alianza varguista, pues la gran mayoría del PSD se oponía claramente a las medidas que Goulart contemplaba. Así, pues, el golpe no fue un mero fenómeno militar, sino la ruptura de una coalición, que significó un amplio apoyo civil para el nuevo régimen, aprobado por la mayoría del Congreso, formada por la derecha liberal (la UDN) más la derecha varguista (el PSD), amén de otros grupos regionales.

En la Argentina el peronismo, a pesar de lo que a veces se afirma, ha sido y sigue siendo una estructura bastante distinta del modelo PRI, y por lo tanto, de la alianza PSD-PTB. Para adentrarnos en este tema habrá que dividir el análisis entre lo que se refiere al período previo a la asunción del mando por el presidente Carlos Menem, y la evolución posterior, que ha llevado a reactualizar la vigencia del modelo "priísta", o aun del de *conservadorismo popular,* según el cual don Alberto Barceló ha sido un precursor, si no de Perón, al menos de Menem.

6 Paulo Brandi, *Vargas: da vida para a história,* 2a. ed., Rio de Janeiro, Zahar, 1985, págs. 204-205 y 211.

El peronismo clásico y su radicalización

A diferencia de la alianza bifronte del varguismo, el peronismo estuvo siempre más unificado, en el sentido formal al menos. De hecho, sin embargo, tenía muchas corrientes internas, que yo caracterizaría de la siguiente manera:

1. El peronismo sindical, basado en los sectores obreros urbanos de la parte más industrializada del país, muy movilizados y con una no despreciable experiencia asociativa.

2. El peronismo de las provincias internas, más caudillista y basado en una población pobre poco movilizada.

3. El peronismo de las elites, minorías significativas, aunque no bien integradas en sus clases de origen, en las Fuerzas Armadas, el clero, los industriales, los intelectuales de derecha, y otros "entornos" más idiosincrásicos.

La corriente sindical es parecida a la del PTB brasileño, pero se diferencia en el hecho de que ha sido mucho más dominante; la de las provincias internas es parecida al PSD, pero con más componentes movilizacionistas, aunque los presente en menor grado que la rama obrera. El peronismo de las elites, bastante heterogéneo, tiene equivalentes menos nítidos en el varguismo, que, en general, tuvo mucho más consenso entre las clases altas que su equivalente argentino. Éste, por otra parte, ha sufrido importantes transformaciones. En un comienzo estaba apoyado quizás por una mayoría de oficiales en las Fuerzas Armadas, más un importante sector del clero menos modernizado, así como de industriales que estaban fuertemente tironeados entre los beneficios que obtenían con la política proteccionista, y los dolores de cabeza que la agitación social —mucho más marcada que bajo Vargas— les causaba en sus empresas.

A pesar de las señaladas semejanzas entre las corrientes que podemos llamar *tipo PSD* y *tipo PTB* del peronismo con sus equivalentes brasileñas, las *tipo PTB* estaban mucho más vigentes, relativamente, en la Argentina. En cuanto a las de *tipo elite,* ellas eran mucho más aventureras y audaces, mucho menos ligadas a sus clases de origen que en el caso brasileño, y además comenzaron a abandonar el movimiento, apenas éste demostró su potencial movilizador, y la eventual dificultad de controlar a sus componentes ante la desaparición del líder.

Es, posiblemente, este panorama el que llevó a la Iglesia a enfrentar al gobierno, tomando sus recaudos en la formación de dirigentes propios, lo que fue por cierto retrucado violentamente por Perón. Es así que el golpe de 1955, como el brasileño de 1964, puede caracterizarse no sólo como una intervención militar, o una mayor combatividad de la tradicional oposición enraizada en la Unión Democrática, sino también como el resultado de una ruptura en la coalición peronista, pues también ahí su derecha la abandonó. Claro está que esa derecha no se llevó muchos votos como, en cambio, ocurrió en el Brasil, pero sí importantes factores de poder.

Es bien conocida la radicalización del peronismo, iniciada hacia 1954, intensificada con la Resistencia y luego con la formación de un ala guerrillera. Aunque muchos de los individuos componentes de estas formaciones no eran de origen ni de gran convicción peronista, el hecho es que fueron albergados por ese movimiento. Esto en parte puede deberse a que se trataba de un partido mayoritario, en el cual era muy tentador tratar de infiltrarse, pero también derivaba de las bases sociales en que se apoyaba, y de las eventuales tendencias confrontacionistas que, en cualquier país de mediano o alto desarrollo, se dan, potencialmente, entre los sectores populares y los del *Establishment*.

Ahora bien, es posible que el modelo del PRI, ya muy estabilizado e impactante en la opinión pública internacional desde la nacionalización del petróleo en 1938, fuera el que Perón tenía en mente en un comienzo. Por cierto que sus ideas interactuaron con las que Vargas estaba desarrollando concomitantemente, y en momentos anteriores, sin duda, habían reconocido inspiración mussoliniana. Pero no le fue posible reproducir ninguno de estos modelos, independientemente de su voluntad. Perón sin duda aspiraba a incorporar a la mayor parte de los empresarios dinámicos, los profesionales, la clase media urbana y rural, y los trabajadores manuales, dejando de lado quizás a algún sector recalcitrante de los terratenientes, o grupos extremistas entre los intelectuales y los sindicatos. Esto es difícil de documentar, como cualquier otra afirmación contrafáctica, pero todo hace pensar que fue así, aunque quede para siempre en el reino de lo que no fue. De hecho, su movimiento, orientado a consolidar la comunidad argentina para realizar un gran esfuerzo de expansión económica y quizás geopolítica, terminó generando algunos de los mayores episodios de confrontación clasista de que tiene memoria el país.

Transmutaciones del varguismo y del peronismo

El varguismo, como vimos, terminó disolviéndose en el mare mágnum de las transformaciones urbanas, cortadas las raíces no muy profundas que tenía en un proletariado con poca memoria histórica, y en un notabiliado provinciano marginado por el avance de la modernización. Es así que se creó un vacío de representación, que fue llenado luego por el PT. El descendiente radicalizado del varguismo, el Partido Democrático Trabalhista (PDT), de Leonel Brizola, pareció por un momento poder seguir enarbolando las viejas banderas, pero al final demostró ser demasiado puramente personalista, en condiciones nacionales ya cambiadas.

En cuanto al peronismo, su período de radicalización fue cortado por el mismo Perón, una vez que lo usó para volver al poder. Entonces comenzó la evolución en sentido reformista y consensual, que típicamente opera en un movimiento popular una vez que los primeros entusiasmos y luchas sin cuartel dejan lugar a competencias más ordenadas. Este proceso se da cuando el movimiento obrero consigue ciertas conquistas sociales y acceso a puestos de responsabilidad, aunque sea provincial y municipal. En la Argentina, y en otros países del continente, como Chile, se está dando este acercamiento entre antiguos enemigos, a pesar de las malas condiciones económicas y ocupacionales de buena parte del sector popular. Ello en parte es una consecuencia del fin del aspecto violento, incluso de guerra civil, en que muchos países del área han estado inmersos por décadas. De ahí el *pactismo* de las elites políticas, desde los tempranos casos colombiano y venezolano hasta los más recientes de la Argentina, pasando por el español.

El acceso del Justicialismo al gobierno, en 1989, intensificó un proceso que ya se estaba dando gradualmente, aunque a menudo en el substrato de la actividad política, como discurso nuevo de las elites. Al mismo tiempo, la globalización de la economía, con la correlativa pérdida de poder decisorio de los Estados nacionales, ha impuesto, quiérase o no, una política de corte neoliberal, convergente con las concepciones de los empresarios. Esta reorientación se da en prácticamente todos los partidos reformistas, sean de raíz socialdemócrata, comunista o populista.

Ahora bien, esta reorientación no permite clasificar a los partidos políticos de origen popular que la practican como "conservadores", ni "conservadores populares". Si ello se hiciera, habría que ubicar en esa categoría a los socialistas españoles o a los laboristas británicos. ¿Qué quedaría entonces para el así llamado Partido Popular de Aznar en España, o el Conservador de Gran Bretaña? Se sostiene a veces que en la actualidad los partidos son simplemente maquinarias orientadas a la conquista del poder, pautadas ya no por la ideología o la raigambre clasista, sino por la personalidad de los jefes, y por los proyectos tecnocráticos alternativos, pero muy parecidos, que adoptan, y que pueden cambiar como un traje. Creo que ésta es una elucubración "posmoderna" que da una imagen distorsionada, magnificando algunos hechos sacados de contexto. Dicho esto, es preciso establecer dos puntos adicionales para incorporar al análisis, a saber:

1. En algunos casos se forman alianzas entre partidos de diverso origen por motivos tácticos. Esto se dio en la Gran Coalición austríaca o en la alemana, que unieron a democristianos, en la derecha, con socialdemócratas, en la izquierda. También es el caso de la pentarquía italiana recientemente fallecida, o la coalición de los partidos catalanistas y nacionalistas vascos con el Socialismo primero, y hoy con el Partido Popular. En este orden de cosas está la Convergencia Democrática de Chile, o la alianza entre el PFL y el Partido da Social Democracia Brasileira (PSDB), o el que se ha dado entre el Justicialismo y la Unión de Centro Democrático (UCD) y otros grupos de derecha en la Argentina. Ninguna de estas alianzas, de por sí, permite asignar a cada uno de los partidos que la integran las características de sus socios, aunque lo piensen así sus militantes más extremos, descontentos con esta táctica.

2. Dentro del espinel de partidos que estamos aquí considerando (socialdemócratas, ex comunistas y populistas), hay un lugar especial para los de tipo populista, que en general son marcadamente más heterogéneos en su composición de clase que los otros, aun cuando no lleguen al extremo del PRI. El peronismo, como se señaló antes, está en una categoría particular, una de las de más raigambre sindical y obrera dentro de los que ampliamente se denominan populistas. Sin embargo, comparte con éstos la presencia de una elite dirigente muy bien diferenciada de la masa del movimiento. Esto ocurre en alguna medida en cualquier partido político, incluso los socialdemócratas, pero en el peronismo se da de manera más marcada.

Ahora bien, en sociedades altamente modernizadas es prácticamente imposible encontrar partidos políticos que engloben al mismo tiempo a grupos representativos de empresarios, financistas, profesionales exitosos, clases medias y sectores populares. En México o en el Brasil esos partidos existieron, o existen en estado de transición, como el que afecta al PRI (lo mismo puede decirse del Partido del Congreso de la India). La Argentina no es campo propicio para la consolidación de un movimiento integrador policlasista tan estructurado como el PRI. Y en cuanto al concepto de "conservadorismo popular", él no tiene verdaderos referentes en ninguna parte del mundo, salvo que le adjudiquemos el nombre a cualquier partido conservador capaz de ganar elecciones y apelar a sentimientos algo atávicos. La evidencia comparativa existente más bien indica que una convergencia de clases tan amplia como la que parece expresarse en el apoyo al menemismo es difícil de mantener dentro del mismo partido. Su existencia nos lleva, en cambio, a considerarla como un caso de coalición táctica, típica de una situación de posguerra. La guerra a que me refiero no es necesariamente la "sucia", aunque la incluye, sino que abarca casi todo el período que va desde 1945, o quizás 1930, hasta 1983.

Las condiciones para la representación obrera

Las posibilidades para la representación obrera son bastante distintas en la Argentina y en el Brasil, y lo fueron particularmente en el pasado, como ya hemos visto. Aún hoy, Argentina tiene un 12% de su población económicamente activa en la rama primaria, responsable por un 15% del producto total, y mucho más de sus exportaciones. Brasil, en cambio, aunque se ha desarrollado muy rápidamente, tenía, todavía, en 1990 un 29% de su población económicamente activa involucrada en la rama primaria, y generando menos que su proporción del producto nacional. Según estimaciones de 1986-87, la *pobreza* alcanzaba a 40% de los brasileños, y a 13% de los argentinos, mientras que en la *indigencia* se encontraban, respectivamente, el 18% y el 4%. A pesar de la dificultad de definir estos conceptos con precisión, y de posibles criterios diferentes en la manera de medirlos, el contraste es muy marcado, y muy visible cualitativamente.[7]

El crecimiento del Brasil ha sido, en cambio, por varias décadas, marcadamente mayor que el argentino, generando intensas corrientes de migración rural-urbana, y de movilidad social ascendente para los más antiguos residentes de las ciudades. Este crecimiento se ha visto reducido durante los años 80, pero sigue siendo válida la descripción del Brasil como un gigante

[7] Los datos sobre pobreza son los de Oscar Altimir, "Distribución del ingreso e incidencia de la pobreza a lo largo del ajuste", *Revista de la CEPAL* Nº 52, abril 1994, pág. 12 (las cifras nacionales comparables más recientes son para los años mencionados).

en rápido desarrollo, en el que existen islas de prosperidad que se comparan a las más avanzadas de la Argentina. De todos modos, el sector de mano de obra barata y subocupada en el Brasil ha sido históricamente, y aún hoy es, mucho mayor que en la Argentina, lo que crea un contexto social y político muy distinto. En el vecino país se han dado las condiciones para lo que Arthur Lewis llama una "industrialización con oferta ilimitada de mano de obra".

Como resultado, la variante argentina del nacionalismo popular difiere bastante de la brasileña, donde el varguismo nunca tuvo un componente sindical equivalente al del justicialismo. Sin entrar en una descripción detallada del sistema de partidos políticos en ambos países, hay que considerar las diferencias existentes, referidas no sólo al sector obrero, sino también al del centro y al de la derecha. En la Argentina el centro está formado por un partido orgánico, aunque con fuerza disminuida, la Unión Cívica Radical, pero la Derecha está dividida en multitud de partidos, a menudo regionales, de identidad liberal o conservadora, algunos de orientación autoritaria, como el de Antonio Bussi en Tucumán (Fuerza Republicana), o populista, como el de los carapintadas de Aldo Rico (Movimiento de Dignidad Nacional, MODIN).

En el Brasil la Derecha ha sido siempre más fuerte que en la Argentina, y ha tenido por mucho tiempo como principal expresión electoral a la União Democrática Nacional (UDN), creada en 1945 para luchar contra el populismo de Vargas. Ahora esta Derecha está dividida en varios partidos, pero con una proporción de votos mucho mayor que en la Argentina. El Centro está formado por el Partido do Movimento Democrático Brasileiro (PMDB) y por su escisión, el Partido da Social Democracia Brasileira (PSDB). El PMDB ha disminuido mucho su fuerza electoral, aunque con oscilaciones y con una gran tendencia divisionista que le ha hecho perder muchos dirigentes regionales, que han formado partidos locales orientados más bien hacia la derecha.[8]

Los resultados electorales, tomando la primera parte de los años noventa a efectos comparativos, en contraste con los de la Argentina, son los que se dan en el cuadro 6.1. La situación más reciente, dada por la alianza entre la UCR y la izquierda (FREPASO), es un fenómeno nuevo (capítulo 7), y que no altera las cifras consignadas. Para la Argentina se tomaron las elecciones legislativas de mayo de 1989 (coincidentes con las presidenciales) y las de

[8] El PMDB, nuevo nombre del MDB, que concentró la oposición legal al régimen militar, canalizó la mayor parte de los elementos varguistas que no apoyaron el golpe de 1964. Eventualmente, el PMDB agregó a muchos sectores centristas sin pasado varguista. Esto, y el hecho de que el varguismo es un concepto no muy claramente definido en la realidad política brasileña de hoy, llevan a muchos observadores a decir que no se puede afirmar que el PMDB sea hoy una estructura varguista. Véase Maria D'Alva G. Kinzo, *Radiografia do quadro partidário brasileiro,* Centro de estudos, Konrad Adenauer Stiftung, San Pablo, 1993.

convencionales constituyentes de abril de 1994, sin tener en cuenta los votos en blanco para calcular los porcentajes. Para el Brasil, se tomaron las legislativas de 1990 y 1994 (estas últimas, coincidentes con las presidenciales), consignándose no los votos sino la proporción de representantes obtenidos en la Cámara Baja, renovada por completo, que son proporcionales a los votos (hay una pequeña diferencia, debida al número mínimo de bancas de los estados pequeños, y al tope máximo para San Pablo).[9]

Cuadro 6.1. Espectro político comparativo, la Argentina y el Brasil.

	ARGENTINA		BRASIL	
	1989	1994	1990	1994
Derecha y centro derecha, excluyendo a la derecha autoritaria neopopulista[10]	19,5%	16,1%	32,4%	30,1%
Derecha autoritaria neopopulista[11]	—	9,3%	—	—
Centro[12]	28,8%	19,7%	47,7%	48,0%
Nacionalismo popular tradicional[13]	44,7%	37,9%	—	—
Izquierda, incluye populismo de izquierda[14]	7,0%	17,0%	19,9%	21,9%
TOTAL	100,0%	100,0%	100,0%	100,0%

[9] Uno de los motivos para tomar los datos legislativos y no los presidenciales es que, sobre todo en el Brasil, ellos reflejan mejor las preferencias del electorado, no forzado a optar entre soluciones capaces de ganar.

[10] Para la Argentina: la UCD, los partidos Demócrata, Federal y Demócrata Progresista, más los regionales. Para el Brasil: el Partido Progressista Reformador, PPR, ex PDS (luego rebautizado PPB, Partido Progressista Brasileiro); el Partido da Frente Liberal (PFL, escindido del PDS en 1985); y el Partido para a Reedificaçao da Orden Nacional, PRONA, de Eneas Carneiro, casi inexistente en el ámbito legislativo.

[11] Sólo presente con alguna fuerza en la Argentina, bajo la forma del Movimiento de Dignidad Nacional, MODIN, de Aldo Rico. No se incluye a partidos políticos dirigidos por figuras militares con un pasado autoritario, como el general Antonio Bussi, porque no se inclinan, como Aldo Rico, en una dirección claramente neopopulista, y por lo tanto se los puede clasificar junto al resto de la Derecha más tradicional.

[12] Para la Argentina: la UCR. Para el Brasil: el PMDB más el Partido da Social Democracia Brasileira, PSDB, del presidente Cardoso, y muchos partidos pequeños, como el PTB (sigla que no tiene nada que ver con su homónimo de la era varguista, hoy encarnado en el PDT de Brizola), el Partido Progressista, PP, su escisión el Partido Social Democrático, PSD (nada que ver con su homónimo de la alianza varguista, ni con el PSDB de Cardoso), y los restos del Partido da Reconstruçao Nacional, PRN, de Collor.

[13] Sólo se incluye aquí al Justicialismo en la Argentina, sin un equivalente en la actualidad en el Brasil.

[14] Para la Argentina: el Frente Grande (hoy Frente País Solidario, o Frepaso), más la Unidad Socialista, la Democracia Cristiana, y varios grupos marxistas. Para el Brasil: el Partido Democrático Trabalhista, PDT, de Leonel Brizola, el PT de Lula, el Partido Socialista Brasileiro (PSB), y otros grupos comunistas y trotskistas.

En el Brasil el votante de clase obrera ha tenido, por bastantes años, dos opciones en su propio hemisferio político: el populismo de izquierda del PDT, dirigido de manera caudillista por Leonel Brizola; o bien una variedad de socialismo con componentes eclesiásticos, sumados a algo de neopopulismo, en el PT de Lula. Ante esto se presenta un centro abultado pero en crisis, y una fuerza conservadora bastante considerable, que optó, en 1994, por apoyar a un candidato de centro izquierda, F.H. Cardoso. El populismo moderado de Vargas ha desaparecido, pues la mayoría de sus dirigentes y simpatizantes han emigrado hacia el centro (PMDB) o hacia la versión más radicalizada, el PDT de Leonel Brizola, el cual, sin embargo, también fue víctima de la polarización. La mayor parte de los antiguos votantes varguistas en la clase obrera urbana, de hecho, se ha incorporado al PT.

El sindicalismo argentino

Como es sabido, la legislación argentina permite sólo un sindicato reconocido u oficial en cada rama de actividad, en el ámbito nacional. Otros sindicatos pueden organizarse, por establecimiento o por rama, pero quedan como asociaciones civiles, sin derechos especiales de negociación con los empresarios y, de hecho, no existen. Algunos sindicatos tienen una estructura descentralizada, y sus unidades locales poseen las características de *sindicatos,* federados en ámbitos provinciales y nacionales; otros —la mayoría— están centralizados, y en cada localidad importante, lo que existe son *seccionales.* La diferencia es considerable, porque determina quién recibe el dinero de los afiliados, mandando sólo un porcentaje a los ámbitos locales (o nacionales, según sea el caso). Ha habido intentos legislativos, por parte del partido radical cuando ejercía el poder, de imponer una descentralización y una representación de las minorías en todos los sindicatos, pero la oposición peronista los ha hecho fracasar.

Las autoridades locales (sea de los *sindicatos* o de las *seccionales*) son elegidas por medio del sufragio secreto, y la mayoría toma todos los cargos. Las autoridades nacionales son designadas en congresos, donde los sindicatos o seccionales están representados, en general, proporcionalmente al número de afiliados. En esos congresos, la oposición casi siempre existe, basada en sindicatos o seccionales locales controladas por los rivales de la dirigencia nacional; pero el Ejecutivo Nacional electo en el congreso refleja simplemente la mayoría del congreso, salvo que resulte de una alianza entre varias facciones.

En el ámbito de la empresa, existen los delegados, electos en asambleas, o a veces, por sufragio secreto. Gozan de ciertos derechos, como el de desempeñar las tareas sindicales en tiempo de la compañía. Cuando el tamaño lo justifica, los delegados eligen una comisión interna, que puede dedicarse a tiempo completo, a sus tareas representativas. Sus miembros, debido al modo de su elección, a veces reflejan actitudes distintas de las de la dirección nacional.

Un punto particularmente estratégico es el de la formación de una confederación nacional, como la CGT. La ley favorece la creación de una sola. Pero como esa confederación ejerce pocas funciones económicas o de negociación, y desempeña más bien un papel de tipo político, a menudo hay más de una en el panorama nacional, aunque hasta ahora la tendencia ha sido hacia la periódica reconstitución de la unidad en ese ámbito.

Desde la época de las intervenciones decretadas por el régimen de la *Revolución Libertadora,* a los miembros del partido derrocado les fue a menudo, en teoría, prohibida la actividad sindical. Pero debido a la falta de otros personajes, con frecuencia simpatizantes peronistas entraban como consejeros de los interventores. Comenzó así una compleja estrategia de lucha, que combinaba los enfrentamientos con las negociaciones, muy criticada por la Izquierda tanto fuera como dentro del movimiento.[15] Al comenzar el régimen del general Onganía, en 1966, la CGT intentó nuevamente aplicar su táctica bifronte, lo que le valió una división importante, generándose la *CGT de los argentinos,* la cual, sin embargo, con el tiempo se eclipsó. Pero es interesante hacer aquí una referencia al fenómeno de los sindicatos *clasistas* de Córdoba, SITRAC y SITRAM, que protagonizaron una experiencia paradigmática en el movimiento obrero de la época.

Ambos sindicatos, basados en empresas de propiedad de la FIAT (Concord y Materfer), comenzaron promovidos por la patronal, que quiso probar la formación de gremios autónomos en el ámbito de la fábrica, como posible modelo para el futuro, tema que también interesaba de cerca al gobierno, para debilitar a la CGT. Los ejecutivos eran duchos en la negociación con el sindicalismo *ortodoxo,* usando los métodos habituales, pero debían conceder derechos obreros, a su parecer, excesivos, ya que interferían con la productividad y la disciplina laboral. Como los trabajadores de ambas empresas eran altamente calificados, y bastante bien pagados, se podía suponer que actuarían de manera moderada. Se aprovechó la ambivalencia existente

[15] Roberto Baschetti, org., *Documentos de la resistencia peronista, 1955-1970,* Buenos Aires, Puntosur, 1988; Juan Carlos Torre, *Los sindicatos en el gobierno, 1973-1976,* Cedal, Buenos Aires, 1983.

con respecto a si correspondía la afiliación a la UOM, de los metalúrgicos, o al SMATA, de los mecánicos, para lanzar, con apoyo de los afiliados, la formación de nuevos sindicatos autónomos, uno en cada fábrica.

El éxito del modelo, claro está, no podía menos que depender de las condiciones políticas generales del país, que hacia esa época (fines de los sesenta, comienzos de los setenta), se estaban deteriorando seriamente, con el incremento de la violencia por todas partes. Al fin, los dos sindicatos fueron, sin duda, modelos, pero de un nuevo y revolucionario sindicalismo. Los trabajadores, dejados a sí mismos, no se orientaron hacia el *trade-unionismo,* como tanto Lenin cuanto los ejecutivos de la FIAT hubieran pensado. Quizás esto fue así, porque ellos no fueron realmente "dejados a sí mismos", sino que, sin la influencia de sus burócratas, cayeron bajo la de todo tipo de activistas, que hicieron su agosto. Procesos parecidos de radicalización ocurrieron en otros sindicatos medianos de la misma ciudad de Córdoba, como los electricistas de Luz y Fuerza, y los empleados del Estado.[16]

Podría pensarse que un proceso semejante al que luego se daría en San Pablo en torno a Lula se estaba produciendo en Córdoba. No por casualidad este *nuevo sindicalismo* se daba en un polo industrial en fuerte crecimiento, aun cuando en menor escala que la del homólogo brasileño. Una diferencia con el caso paulista fue la extrema violencia del escenario argentino de aquel entonces. El experimento fracasó, y cuando se dio el retorno a la normalidad en 1983, ese sindicalismo combatiente era sólo un recuerdo. Sigue siendo, sin embargo, un modelo para ciertos sectores del gremialismo argentino, para quienes el más reciente ejemplo brasileño los induce a creer que algo parecido puede de nuevo generarse en la Argentina, tomando en el campo político el cauce de la nueva izquierda, el Frente País Solidario (Frepaso).

Tensiones entre los sindicatos y el Partido Justicialista

Durante la dictadura militar de 1976-1983 los sindicatos fueron nuevamente intervenidos, pero ahora casi siempre con dirigentes peronistas como consejeros o colaboradores en posiciones menores, mantenidos en la plani-

[16] Marta Roldán de Reuter, *Sindicato y protesta social en Argentina: Un estudio de caso, el Sindicato de Luz y Fuerza de Córdoba, 1969-1974* (manuscrito inédito); Jorge Osvaldo Lannot, Adriana Lamantea y Eduardo Sguiglia, comps, *Agustín Tosco, presente en las luchas*

lla de pagos como contactos con las "bases". Estos peronistas pertenecían, sin duda, a la derecha del movimiento, y estaban tan opuestos a los guerrilleros y a los activistas de izquierda como lo estaban los militares. Este hecho está en la base de lo que se ha llamado el *pacto militar sindical,* al que ya se hizo referencia. Pero a esta tesis se contrapone el hecho de que prácticamente todos los regímenes militares en la Argentina, desde 1955, han tenido como uno de sus principales objetivos la prevención de un gobierno peronista, considerado como incompatible con un desarrollo económico sano, debido a sus políticas distributivistas y a su tendencia a la radicalización de base apenas enfrenta una crisis.

En sus intentos de desperonización los militares han tratado —sin éxito— de usar a los sindicalistas como aliados, prometiéndoles un seguro plato de lentejas como capitanes del pueblo a cambio de su primogenitura como columna vertebral de un partido popular capaz de ejercer el poder. Los jefes sindicales han respondido a estas propuestas con una mezcla de negociación y de resistencia inspirada pragmáticamente. En ciertos momentos pareció que aceptarían el rol que se les preparaba, como *junior partners* en una coalición de intereses corporativos, pero de hecho nunca fueron totalmente cooptados, quizás porque era difícil para el régimen formar una alianza tan grande, junto con los intereses agrarios, financieros e industriales. En cambio, la estrategia peronista de desgaste tuvo mejores resultados en generar divisiones en las Fuerzas Armadas que la de los militares entre los hombres del trabajo.[17]

Durante la presidencia de Raúl Alfonsín (1983-1989) la Confederación General del Trabajo, otra vez en manos de sus dirigentes tradicionales, desarrolló una dura oposición, con una serie de huelgas generales, contra cualquier intento de modernización de la economía por parte del gobierno radical. La Renovación peronista, dirigida por Antonio Cafiero, coincidía con bastantes aspectos del programa oficial. Los sindicalistas, sin embargo, pronto se dieron cuenta de que ese programa, bueno o malo para el país a la larga, a la corta era malo para ellos y para buena parte de sus afiliados, pues implicaba una amenaza para las empresas del Estado, y una desprotec-

obreras, Edigraf, Buenos Aires, 1984; Francisco Delich, *Crisis y protesta social: Córdoba, 1969-1973,* 2a. ed., Siglo XXI, México, 1974; Beba Balvé y Beatriz S. Balvé, *El 69: huelga política de masas: Rosariazo, Cordobazo, Rosariazo,* Contrapunto, Buenos Aires, 1989; Beba Balvé et al., *Lucha de calles, lucha de clases: elementos para su análisis,* Rosa Blindada, Buenos Aires, 1973.

[17] Arturo Fernández, *Las prácticas sociales del sindicalismo, 1976-1982,* Buenos Aires, Cedal, 1985; Inés González Bombal, *Los vecinazos: las protestas barriales en el Gran Buenos Aires, 1982-83,* Buenos Aires, Ides, 1988.

ción para la arcaica industria manufacturera. Igualmente peligroso era un enfoque que pusiera en cuestión el manejo de las obras sociales. Es así que los sindicalistas convergieron con Carlos Menem, quien, después de haber sido uno de los primeros renovadores, se alió con los elementos más tradicionales del peronismo, entre ellos, los gremialistas.[18]

Cuando Menem fue elegido presidente en 1989, parecía que un período de intensa confrontación social estaba por iniciarse, pero su decisión de llegar a un acuerdo con la Derecha económica cambió radicalmente el escenario. La reacción fue obvia: júbilo en la City, consternación entre los activistas (no sólo los de izquierda, también entre los peronistas tradicionales), y curiosidad entre los altos niveles de la burocracia gremial.

En ese entonces la CGT estaba básicamente unida, con una mayoría de dirigentes que pertenecían a la derecha o al centro peronista. Pocos sindicatos, nacionales o locales, estaban dominados por la izquierda, peronista o no, aun cuando en casi todos había una oposición interna. Algunos de los "burócratas", como Lorenzo Miguel de la Unión Obrera Metalúrgica o Diego Ibáñez del Sindicato Unido Petroleros del Estado (SUPE), se mantuvieron en un discreto segundo plano en la CGT, cediendo su secretaría general —si no la verdadera dirección— a Saúl Ubaldini, del poco numeroso sindicato cervecero, un hombre nuevo, más presentable que los viejos caudillos involucrados en diversos episodios de colaboración con el Proceso militar.

Siempre había existido una cierta tensión entre los sindicalistas y el resto de la estructura peronista, como en todos los partidos populares del mundo. También según esos parámetros internacionales, los gremialistas estaban algo más a la derecha que el término medio de los afiliados, o también de los dirigentes, porque tenían más que perder. Pero en temas de salarios, o en proteger los niveles de empleo, eran más exigentes. A pesar de ello, algunos dirigentes gremiales formaban parte del *entourage* del presidente Menem, y eran en parte responsables de la decisión de entenderse con el gran capital y de adoptar una política económica neoliberal. Pero ni Miguel ni Ibáñez pertenecían a ese grupo, y por lo tanto quedaron en la oposición interna, junto con Ubaldini, quien cultivaba una imagen de hombre del pueblo, capaz de emocionarse ante el espectáculo de la miseria, y de participar en los ruegos a San Cayetano para que proveyera a sus fieles con empleos.

Es así como poco después del acceso de Menem a la presidencia la CGT se dividió, casi por la mitad. De un lado, en el control de su estructu-

[18] Ricardo Gaudio y Andrés Thompson, *Sindicalismo peronista, Gobierno radical,* Buenos Aires, Folios, 1990.

ra formal, estaban Ubaldini, Miguel e Ibáñez, con la no deseaba participación de la izquierda, peronista o no; del otro lado, estaban los más maleables, o los más convencidos de la necesidad, o de la inevitabilidad, de la nueva política económica.

Sin embargo, la CGT dirigida por Ubaldini estaba minada por su extrema heterogeneidad, pues muchos de sus componentes de izquierda condenaban tanto al neoliberalismo económico del gobierno como a la viejas prácticas sindicales peronistas, de las cuales Miguel e Ibáñez —sus aliados ocasionales— eran conspicuos representantes. En una serie de movimientos tácticos demasiado complicados para poder detallar en este trabajo, Menem consiguió debilitar y dividir a la CGT opositora, atrayendo hacia sí, como era de esperarse, a los más tradicionalistas, como los mismos Miguel e Ibáñez, aun cuando éstos no cesaron de oscilar en sus lealtades. Sus sindicatos estaban entre los más amenazados por las pérdidas de puestos de trabajo, ante la rebaja del proteccionismo aduanero o la privatización de empresas, como YPF.

En las primeras elecciones para la renovación del Congreso (1991), el gobierno mantuvo aproximadamente el 40% de los votos, un 10% por debajo de las cifras de la elección presidencial. Ubaldini, que rompió con el partido y se presentó como candidato independiente, en la provincia de Buenos Aires, apenas redondeó un 1% de los votos, y lo mismo le ocurrió a un grupo de peronistas disidentes de izquierda (el *grupo de los ocho*, orientado por Carlos "Chacho" Álvarez) aliados con otros sectores clásicos de la Izquierda. El voto de protesta se concentró en el Movimiento de Dignidad Nacional (MODIN), que reclutó bastantes voluntades en sectores pobres y marginales, que comprenden mejor su mensaje autoritario y populista que el más complejo de la Izquierda intelectualizada.

Durante la mayor parte de los años del gobierno de Menem, la CGT ha mantenido una política de negociación con el gobierno, oscilando entre la colaboración decidida y la crítica circunstancial. Siempre ha estado cruzada por facciones que van desde el *ultramenemismo* a los *moderados,* ninguna de las cuales asume una oposición frontal. Las segundas elecciones de renovación legislativa, en 1993, reprodujeron aproximadamente los datos de dos años antes.

Un cambio de mayor entidad ocurrió en las elecciones de convención constituyente, de abril de 1994, pero el gobierno no sufrió demasiado (bajó del 42% al 38%), y resultó más afectado el partido Radical, cuya política de pacto con Menem fue rechazada por gran parte de su electorado. En cambio, en la Izquierda, por primera vez, tuvo adecuada presencia una formación, el Frente Grande, dirigida por antiguos peronistas y otros clásicos izquierdistas, que absorbieron buena parte del voto de los radicales descontentos con la estrategia de Alfonsín, quien, a último momento, por el Pacto de Olivos, había decidido apoyar la reelección de Menem. A pesar de este origen algo coyuntural, el Frente Grande, luego aumentado a Frente País Solidario (Frepaso) por el aporte de otra escisión peronista, dirigida por el ex gobernador mendocino José Octavio Bordón, se ha perfilado como principal oposición al Gobierno, superando a los radicales en la elección presidencial de 1995.

En el ámbito sindical, quienes se oponen más duramente a las políticas del gobierno han formado una central independiente, el Congreso de los Trabajadores Argentinos (CTA), donde se encuentran los educadores y uno de los dos gremios de empleados públicos (la Asociación de Trabajadores del Estado, ATE), ambos especialmente vulnerables a las reducciones presupuestarias y las racionalizaciones de la administración pública. Un rechazo más moderado a las políticas oficiales se da en una corriente interna de la CGT, que, eventualmente, podría escindirse, pero que aún permanece en el seno de la entidad confederativa mayor. Se trata del Movimiento de los Trabajadores Argentinos (MTA), básicamente peronista, con dirigentes como el camionero Jorge Rodríguez y el conductor de ómnibus Juan Manuel Palacios.

Por lo tanto, por el momento, el movimiento obrero sigue siendo de predominio peronista, ya que gran parte de sus dirigentes apoyan la política de su partido o se oponen moderadamente a ella. Una minoría de dirigentes, una proporción bastante más grande de afiliados, y quizás la mayoría de los activistas, en cambio, se oponen al programa *neoliberal,* aun si no disponen de una clara estructura organizativa ni de una política alternativa creíble.

Brasil: Central Unica dos Trabalhadores *versus* Força Sindical

El sindicalismo comenzó a cambiar en el Brasil hacia 1978, cuando la presidencia Geisel estaba terminando, dando lugar a la de Figueiredo. Los nuevos activistas, ente ellos, Lula, después de controlar bastantes sindicatos locales, convocaron en 1981 un congreso denominado CONCLAT, Conferencia Nacional da Classe Trabalhadora, con la idea de sentar las bases para una organización nacional genuinamente representativa. Es preciso aquí referirse a una característica especial del sistema sindical brasileño.

En cada municipio, puede haber sólo un sindicato en cada rama de actividad. Los empleadores deben descontar un *impuesto sindical,* equivalente a la paga de un día por año, a todos sus empleados, agremiados o no. Estas sumas antes eran centralizadas por el gobierno, quien las distribuía al sindicato local (60%) y a las federaciones estaduales y nacionales de cada rama (15% y 5%), quedando el restante 20% retenido para gastos administrativos. Desde 1994 el gobierno ya no interviene en este proceso ni se queda con un porcentaje, sino que los fondos son directamente depositados por los empleadores en las arcas sindicales.

Los trabajadores están libres de afiliarse o no al sindicato local, y pagan, si lo hacen, un 1% de su salario. Los servicios sociales nacionales (tratamiento médico, etc.) se basan en descuentos oficialmente sancionados de los ingresos, y son manejados por el Instituto Nacional de Serviço Social (INSS). Antes del régimen militar lo usual era que los sindicatos administraran los servicios sociales de su categoría, de manera que había una gran discrepancia en la cobertura que tenían los diversos tipos de trabajadores, como ocurre en la Argentina. El régimen militar unificó los servicios sociales y tomó control de su administración (un intento similar fracasó en la Argentina). De todos modos, algunos sindicatos tienen, además de la cobertura nacional, atención médica especial, financiada por contribuciones adicionales propias, o negociadas con las empresas, pero sólo en pequeña escala.

La dirigencia del sindicato local, municipal, es elegida mediante voto secreto. Los comicios eran supervisados por funcionarios del Ministerio del Trabajo, pero la Constitución de 1988 eliminó esa clásula, que tradicionalmente había sido usada para controlar a los gremios. Esta reforma otorga más libertad a las organizaciones obreras con respecto al Estado, pero deja a las oposiciones sindicales desprotegidas respecto de las dirigencias consolidadas en el poder, pues ahora para quejarse hay que recurrir al poder judicial ordinario, de más lentos procedimientos.

Los sindicatos locales pueden tener empleados pagos, pero antes de 1988 la organización de fábrica era ilegal —supuestamente, para evitar interferencias con el trabajo— de manera que no existían delegados de taller oficialmente reconocidos. Ahora ellos están permitidos por la Constitución, aunque las nuevas disposiciones aún no han sido implementadas. En la práctica, en los lugares donde existía una fuerte presencia sindical siempre hubo alguna forma de organización interna en la empresa, pero en mucho menor escala que en la Argentina.

Los sindicatos locales —que en adelante seguiremos llamando simplemente sindicatos, pues son la única organización que lleva ese nombre en el

Brasil— pueden formar federaciones, por rama de producción, en el ámbito estadual. Estas federaciones obtienen un porcentaje del impuesto sindical, y pueden negociar con los empleadores, representando también al sector de los no afiliados (quienes, de todos modos, pagan el impuesto sindical).

Las federaciones estaduales pueden formar confederaciones nacionales, siempre por ramas, las que también viven de una parte del impuesto sindical. En la tradicional ley laboral no podía haber dos federaciones o confederaciones en una determinada rama, y las ramas eran definidas muy ampliamente, de manera que, por ejemplo, había una sola federación (en cada estado) para toda la industria, otra para la agricultura, otra para las empresas financieras, para el comercio, etcétera (había catorce ramas para todo el país). La ley anterior a 1988 no permitía la formación de *centrales,* o sea, organizaciones del tipo de la CGT argentina o la AFL-CIO en los Estados Unidos. Sin embargo, existieron varios intentos de formar precisamente este tipo de estructuras, con poco éxito, y el CONCLAT de 1981 fue uno de ellos.

Dada la naturaleza del sindicalismo brasileño, eran los sindicatos locales, no las federaciones o confederaciones, los que se agrupaban para formar centrales. Las federaciones y confederaciones estaban más sometidas a las órdenes del gobierno. Estrictamente hablando, podrían haber formado parte de esos intentos confederales, pero su heterogeneidad, o su control por parte de *pelegos,* las llevaba por otro camino.

La principal experiencia anterior a 1981 en la organización de una central nacional se había realizado durante la presidencia de Goulart (1961-1964). En ese entonces se formó el Comando Geral dos Trabalhadores (CGT), como estructura claramente política, dominada por el ala izquierda del PTB y por los Comunistas, destinada a apoyar las reformas radicales intentadas por el gobierno nacional.

En la Conferencia de 1981 los nuevos sindicalistas dominaron la escena. Para ese entonces habían experimentado algunos cambios, dejando de lado su anterior pragmatismo. Habían absorbido una alta dosis de ideología o, al menos, estaban llenos de aliados altamente ideológicos, desde los que sostenían la teología de la liberación hasta toda una gama de "trotskistas", con la notable excepción del Partido Comunista Brasileiro, que prefería apartarse de lo que consideraba una organización muy sospechosa dirigida por advenedizos. El PC do B, teóricamente maoísta, estaba, en cambio, más cerca del nuevo proyecto. Ya en 1980, Lula había lanzado el PT a la palestra, y en su primera prueba de fuego en las elecciones de 1982, obtuvo un muy modesto 2% del voto en el ámbito nacional, pero bastante más en algunos enclaves obreros o en barrios habitados por la *intelligentsia* radicalizada. En 1982 Lula hizo otro intento de formar una central, y esta vez tuvo éxito. La nueva organización se llamó Central Unica dos Trabalhadores (CUT), nombre idéntico al de la prestigiada organización chilena, una de las bases del gobierno de la Unidad Popular.

En competencia con este proceso, se formaron diversas alternativas pragmáticas en torno a Luis Antônio Medeiros, quien había sido militante comunista y había pasado por un entrenamiento ideológico en Moscú entre 1974 y 1976. Volvió de allá totalmente desilusionado, y empezó a escalar posiciones dentro del sindicalismo opuesto a Lula. Acuñó el concepto de "sindicalismo de resultados", orientado a obtener conquistas concretas, dejando de lado la ideología, y organizó una nueva central, la Força Sindical, en 1991, en un congreso en el cual la mayor parte de los activistas provenían de la parte antigua, capitalina, de la ciudad de San Pablo (no de su entorno industrial moderno, el ABCD) y alguna otra área muy industrializada. Los trabajadores rurales estaban prácticamente ausentes, y lo mismo ocurría con los empleados públicos y los docentes, todos ellos fuertemente involucrados con la CUT.

Es preciso señalar que ambas centrales se basan en la afiliación de sindicatos locales, de nivel municipal (a veces incorporando dos o tres municipios), y no de federaciones o confederaciones, aunque éstas pueden también participar. El 80% de los sindicatos del país no pertenecen a ninguna central, pero en general se trata de organizaciones pequeñas (el 55% de todos los sindicatos tienen menos de mil afiliados). Esto contrasta con la característica más centralizada de los sindicatos en la Argentina, donde lo normal es la existencia de sindicatos nacionales.[19]

En el Brasil, hasta 1988 no había ningún equivalente de organizaciones como la Unión Obrera Metalúrgica, o la Unión Ferroviaria, del vecino país. Un sindicato local, por ejemplo los metalúrgicos de Volta Redonda, pertenecía a su federación estadual, pero ésta tenía muy pocas funciones, y además era muy amplia, pues incorporaba a toda la "industria", mezclando por lo tanto a textiles, químicos y otros, compartiendo pocos problemas laborales concretos. Después de la sanción de la Constitución de 1988 las federaciones de industria en casi todos los estados pudieron dividirse por subramas. A ello se ha sumado un menor control sobre la unicidad, de manera que en la práctica existen dos confederaciones nacionales de metalúrgicos, una, ma-

[19] Leôncio Martins Rodrigues y Adalberto Moreira Cardoso, *Força Sindical: uma análise socio-política,* págs. 159 y 169, nota 2.

yoritaria, afiliada a la CUT, y otra, a la Força Sindical, pero ninguna de ellas tiene un papel semejante al de los sindicatos nacionales argentinos. Esta mayor descentralización favorece, claro está, la democratización interna y la militancia, aunque de hecho debilita el movimiento obrero, al crear una gran dispersión de estructuras y de liderazgos.

Una de las pocas confederacions que ya desde antes de 1988 tenía un rol representativo genuino era la Confederação Nacional dos Trabalhadores Agrários (CONTAG). Había sido fundada poco antes del golpe de 1964 por militantes ligados al Partido Comunista y a la Iglesia, quienes empleaban los canales oficiales, que los favorecían en ese entonces. Incluye, sobre todo, a trabajadores del azúcar, y otros en su mayoría nordestinos, y originalmente también incorporaba a las muy radicalizadas Ligas Agrarias dirigidas por Francisco Juliao. Los militantes del PT son muy activos en la CONTAG, pero no la han afiliado a la CUT para no romper lanzas con los simpatizantes de otras corrientes, como los comunistas, que pueden resentir el predominio *petista* en la CUT.[20] A todo esto se suma el movimiento más puramente campesino de los Sin Tierra, muy activo en el Nordeste al finalizar los años noventa.

El Partido dos Trabalhadores (PT): entre socialdemocracia y populismo

Aunque perdió las elecciones presidenciales de 1994, el PT controla algunos gobiernos estaduales y bastantes municipios, sin hablar de los sindicatos, todo lo cual constituye un considerable factor de moderación. Pero la coexistencia con los activistas de izquierda no es fácil. En el congreso del PT de diciembre de 1992, realizado en el corazón del "cinturón rojo" de San Pablo, el ABCD, el grupo moderado Articulaçao consolidó su control, expulsando a los trotskistas más extremos, pero manteniendo una difícil supremacía ante los demás sectores de izquierda. Estos recuperaron algo de su influencia en un congreso posterior, y dieron a la campaña electoral un cariz que, seguramente, espantó a un número nada despreciable de electores. Así al menos lo interpreta el núcleo dirigente cercano a Lula, quien no perdió tiempo en cobrarle esta cuenta a sus opositores.

[20] Existen 3.200 sindicatos rurales en el país. Otra organización que no debe ser confundida con la CONTAG es el Movimento dos sem Terra (MST), basado en pequeños campesinos medieros u ocupantes de tierras, orientado por sectores de la Iglesia Católica.

La posibilidad de que el PT llegue a convertirse en un movimiento revolucionario capaz de emular los hechos de Fidel Castro o de los sandinistas es baja o nula. El partido, hasta ahora, puede ser visto como una organización socialista de izquierda, dentro de lineamientos no demasiado distintos de los que caracterizaban al Partido Socialista Obrero Español antes de alcanzar el poder, cuando aún rechazaba la socialdemocracia en nombre del *socialismo mediterráneo.*[21]

Sin embargo, hay una importante diferencia entre el PT y partidos como el Socialista español, que refleja la diferencia en niveles de urbanización y de desarrollo industrial de los dos países. En el PT brasileño existe un elemento que no tiene una pareja presencia en los socialismos europeos, a saber, la izquierda católica, que incluye una numerosa cohorte de obispos, y de otros encumbrados personajes religiosos y laicos. Cierto es que, en los movimientos socialdemócratas europeos, se encuentra también una izquierda religiosa, pero en cantidades no comparables a las del Brasil. El componente católico del PT le otorga una enorme cantidad de militantes, comenzando por los párrocos y las monjas, en los lugares más insólitos. De esta manera, amplios grupos de campesinos y de pobres urbanos pueden ser organizados, en algún sentido *desde arriba,* dando al PT un tinte populista compatible con formulaciones ideológicas de izquierda, pero que seguramente podrá reorientarse de manera reformista en un futuro.

Por otro lado, en la CUT el faccionalismo es mucho más acentuado que en el PT, porque allí no sólo las corrientes internas del PT se enfrentan entre sí, sino que deben competir con los demás partidos de izquierda, como el tradicional Comunismo (PCB, rebautizado Partido Popular Socialista, PPS) y el teóricamente *maoísta* PC do B. Típicamente, los congresos del PT, aunque tensos, son bastante pacíficos, mientras que las reuniones de la CUT a menudo terminan en violencia. El grupo de Lula, Articulação, tiene un equivalente homónimo en la CUT, que apenas si consigue controlar a esa central. Sus rivales, basados en la izquierda interna o externa al PT, forman el grupo llamado *PT pela base,* más fuerte en los congresos nacionales que en los sindicatos grandes.[22]

Un problema que enfrenta la CUT es que algunos de sus militantes locales han excedido su capacidad de movilización en huelgas o en oposición frontal contra las privatizaciones —actitudes no necesariamente compartidas

21 Este concepto cubriría formaciones políticas, como el Partido Laborista de Malta, la Organización para la Liberación de Palestina, y el régimen de Gaddafy en Libia.

22 Leôncio Martins Rodrigues, *Eleiçoes 1994: cenários políticos prováveis. Um governo Lula,* CNI/FIESP, Sao Paulo, 1994.

por las bases— y por consiguiente han perdido el poder, en algunos lugares, ante la oposición moderada, orquestada por la Força Sindical. Esto ha ocurrido en lugares estratégicos, como las acerías de Volta Redonda (Río de Janeiro), Usiminas (Minas Gerais) y Santos (San Pablo). El hecho es que la competencia de la Força Sindical empuja a la CUT hacia la moderación, especialmente en las zonas industriales avanzadas, dejando fuera de juego a los militantes más extremos. Pero en áreas periféricas empobrecidas, tanto en el campo como en la ciudad, la situación es bien diversa, y allí las utopías revolucionarias ejercen una fuerte atracción, si no sobre las masas, al menos sobre amplios sectores de dirigentes y activistas, que de esta manera dificultan la evolución del partido hacia el reformismo.

7

El futuro de los partidos políticos en la Argentina

Las características amenazantes pero no revolucionarias del peronismo

El peronismo ha estado sufriendo cambios radicales prácticamente desde su creación a partir del régimen militar de 1943-1946. Cierto es que todos los movimientos políticos experientan cambios, en especial los que se inician como desafíos al *Establishment* y con el tiempo se vuelven más moderados; pero las coaliciones populistas son particularmente sensibles a este fenómeno, debido a los cambios en pesos relativos de sus partes componentes. Para empezar, podemos preguntarnos por qué se genera un movimiento con liderazgo caudillista, en lugar de uno de tipo asociacionista. Una respuesta podría ser porque la clase obrera local tiene un alto nivel de autoritarismo. ¿Pero es realmente la clase obrera argentina tanto más autoritaria en su estructura psicológica que las de Chile y Uruguay, relativamente inmunes al populismo? Lo dudo, sobre todo teniendo en cuenta que en los dos países vecinos, especialmente en Chile, amplios sectores populares han apoyado por largo tiempo al Partido Comunista, tan autoritario, política o psicológicamente, como el que más. Por otra parte, los Comunistas, cuando toman el control de una organización sindical, pueden imponer estructuras burocráticas y autoritarias, pero no un caudillismo del tipo populista.[1] El caudillismo, como sistema de liderazgo ente las clases populares, emerge cuando se da una carencia, o particular debilidad, de otras formas de organización.

Para comprender la contradicción entre los objetivos de Perón y los resultados de su acción, es necesario considerar las condiciones particularmente inestables de la sociedad argentina durante la Segunda Guerra Mun-

[1] La principal, casi única, excepción a esto es Fidel Castro, cuyo régimen es bastante distinto del que imperó en otras partes del mundo, dado su particular origen, habiendo adoptado el comunismo sólo después de llegar al poder. Como se vio ya antes (capítulo 3), al fidelismo se lo puede caracterizar como un populismo de izquierda, en la categoría de partido social revolucionario.

dial, cuando comenzó la carrera de Perón en las esferas de poder. He argumentado en otro lugar que en aquel entonces existía entre las elites, especialmente los industriales, los militares y ciertos sectores del clero y de los intelectuales de derecha, la impresión de que se avecinaban tiempos muy difíciles. Había una extendida sensación de que una vez que terminara la guerra, la renovada competencia de los productos manufacturados extranjeros, con su secuela de desocupación, y la influencia ideológica de un caos social en Europa y de las previsibles revoluciones comunistas en un continente hambreado, repetirían las escenas de 1917-1919. A esto lo he llamado *el gran miedo de 1942-1943.* Al mismo tiempo, Carlos Waisman también ha documentado la existencia y la extensión de este sentimiento de amenaza, muy directamente expresado por Perón, quien respondió con una política de incorporación forzada de la clase obrera dentro de las estructuras políticas nacionales.[2]

Waisman considera que la alarma era injustificada, y producida por una ideología contrarrevolucionaria dominante en las Fuerzas Armadas y otros sectores conservadores. De todos modos, la existencia del temor está bastante corroborada, aun cuando más investigación es necesaria al respecto, para diferenciar sentimientos reales de fantasías o de deliberadas exageraciones. Disiento de Waisman en lo referente a la estimación del peligro, que considero genuino. A mi juicio, el potencial revolucionario, o de serios golpes al sistema de dominación, siguió presente por bastante tiempo en la Argentina, aunque disminuido durante la primera presidencia de Perón, pero de nuevo muy incrementado durante los episodios de la quema de las iglesias, la Resistencia, los Montoneros, y la presidencia de Cámpora. Como compromiso entre nuestros puntos de vista, ofrezco la hipótesis del Diez por Ciento de Probabilidades de Muerte, aplicada al sistema de dominación existente en un determinado momento. Si alguien le dijera a usted que hay una probabilidad de diez por ciento de que lo maten al salir de su casa, usted inmediatamente comenzaría a actuar de manera muy extraña, intentando todo tipo de estrategias para conjurar el peligro. Sin embargo, desde el punto de vista de alguien que quiere matarlo, sus perspectivas de éxito no serían muy grandes. Además, lo más probable es que, al final, nada ocurra, de manera que un investigador futuro seguramente negará que haya existido algún peligro, y pensará que usted se lo inventó todo.

[2] Carlos Waisman, *Reversal of Development in Argentina: Postwar Counterrevolutionary Policies and Their Structural Consequences,* Princeton, Princeton University Press, 1987.

Esta hipótesis puede ser aplicada a la situación argentina durante la Segunda Guerra Mundial, y casi hasta los coletazos de la Guerra de Malvinas. Sostengo que durante ese largo período, el sistema de dominación en la Argentina estuvo sometido a un peligro de muerte, a una espada de Damocles, colgada del techo con una *posibilidad del diez por ciento de romperse.* Una situación incómoda si las hay, que justifica muchos comportamientos de otro modo ininteligibles, pero que está en proceso de desaparecer. Como resultado, el peronismo está cambiando, quizás para retornar a lo que su creador hubiera deseado que fuese, o a lo mejor para transformarse en algo completamente distinto.

El tema de las amenazas, o peligros para el orden establecido, fue central en los primeros trabajos de Guillermo O'Donnell sobre la política latinoamericana, y con toda razón, aun cuando los mecanismos causales que suponía en acción fueran más cuestionables. Su hipótesis básica era que, en condiciones de libertad y de democracia la clase obrera tendería a organizarse de tal manera que constituiría una amenaza intolerable para el sistema de dominación existente, y para sus mecanismos de acumulación de capital. Esto sería porque, en contraste con los países de alto desarrollo, los sistemas capitalistas dependientes no pueden generar suficiente excedente como para cooptar a los estratos más pobres de la población. Este argumento es bastante razonable, pero sería más verdadero si se lo planteara de manera relativa, o sea, afirmando que en los países de la periferia es más difícil (pero no imposible) canalizar a la clase trabajadora por la vía reformista y moderada. La evidencia histórica, por algo más de una década, pareció confirmar el veredicto pesimista de O'Donnell. Pero sucesos más recientes parecen señalar en la dirección opuesta, y han sido sometidos a la correspondiente teorización, que temo ha dejado de lado lo válido del planteo anterior, que debía ser refinado en vez de abandonado.[3]

Lo que crea una amenaza al orden establecido no es, principalmente, una clase obrera organizada en condiciones de democracia y de escasez de recursos económicos. Éste es un escenario posible, que se encuentra muchas veces en etapas tempranas de desarrollo, que van acompañadas de la adaptación a la forma industrial de vida, y a las migraciones del campo a la ciudad. Cuando la clase obrera tiene una alta organización, muy probablemente habrá ya conseguido algunos beneficios, y por lo tanto se cuidará de

[3] Guillermo O'Donnell y Philippe Schmitter, "Tentative conclusions for uncertain democracies", en Guillermo O'Donnell, Philippe Schmitter y Lawrence Whitehead, comps, *Transitions from Authoritarian Rule: Prospects for Democracy,* Baltimore, Johns Hopkins University Press, 1986, parte IV.

tirarlos por la borda con un comportamiento excesivamente riesgoso. En general, seguirá actuando dentro de cánones clasistas, pero no necesariamente revolucionarios.

Los objetivos revolucionarios son más bien típicos de una elite disidente e insatisfecha, ubicada en las regiones medias o altas del espacio social, en especial de la *intelligentsia,* el clero o aun los militares. Para tener éxito en estos objetivos, es conveniente, si no absolutamente necesario, para esas elites contrarias al statu quo, obtener algún apoyo popular. Esto no es tan fácil cuando se enfrenta a una clase obrera de antigua y asentada experiencia organizativa, pero, en cambio, las cosas se hacen más expeditivas cuando se puede reclutar adherentes entre sectores recientemente movilizados de las masas, entre ellos, los migrantes rural-urbanos, los marginales, y categorías inseguras de los campesinos.

La apelación no tiene por qué tener un contenido explícitamente revolucionario para ser vista como amenazante. Puede haber muchas franjas de opinión entre los dirigentes, pero en la mayor parte de los casos serán de ideología nacionalista, religiosa o populista más que socialista, o sea, no incluirán en su programa la eliminación de la propiedad privada, ni incursiones serias en sus privilegios y garantías. Pero, a pesar de las intenciones iniciales moderadas de los dirigentes, pueden derivarse consecuencias amenazantes, no premeditadas pero en gran medida impuestas con la apariencia avasalladora de un alud, como ocurrió con la Revolución Mexicana, iniciada por el muy moderado Francisco Madero y muy pronto salida fuera del cauce que sus primeros dirigentes le habían trazado.

Hay, entonces, muchas posibles combinaciones de variables que generan una situación amenazante, desde las del tipo del *diez por ciento* hasta las prácticamente terminales. Una de las más serias, y probable en contextos de desarrollo medio, es la combinación de sectores disconformes en los niveles medios o altos, con una masa movilizada dispuesta a adoptar creencias milenaristas y a confiar en un líder carismático. El movimiento *movilizacionista* que, de esta manera, se crea es típicamente flojo en sus dirigencias medias, tiene pocos frenos organizativos, y puede por lo tanto cambiar de dirección de manera radical y abrupta.

La experiencia latinoamericana está llena de tales cambios de orientación. Uno de los más importantes es el que vivió el varguismo cuando, bajo João Goulart, delfín de su fundador, se convirtió en un verdadero problema para el *Establishment,* y no necesariamente como resultado de una alta organización obrera. Hoy día una clase obrera sindicalizada de manera autónoma, y con proyectos socialistas, dirigida por el metalúrgico Luis Inácio da Silva ("Lula"), implica un riesgo mucho menor, porque tiene bastante más que sus cadenas que perder, y porque al carecer de la cantidad de aliados que podía tener el modelo populista, aunque radicalizado, de Goulart, queda más reducido a una minoría.

En el Perú, por décadas, el aprismo fue percibido por las Fuerzas Armadas y por la Derecha como una amenaza muy seria, no por su ideología ni por su componente sindical, sino por su capacidad de movilizar a las masas de manera violenta. En tales condiciones, la democracia, lejos de aumentar la amenaza al sistema de propiedad privada, la disminuye notablemente, pues canaliza las demandas populares en líneas pragmáticas organizativas, entre ellas, la consolidación de sindicatos y las campañas electorales. Una dictadura muy represiva, aunque destruya muchas organizaciones opositoras, puede aumentar el número de sus enemigos, trayendo sobre sí la perspectiva de la rebelión exitosa, como les ocurrió a Batista y a Somoza. Tan así es, que la estrategia clásica de las elites amenazadas es la de abrir el sistema, introduciendo reformas parciales o aun una democratización plena, como hizo Roque Sáenz Peña en 1912, obviamente para evitar sufrir el destino de Porfirio Díaz. El espíritu del tiempo se refleja muy bien en un artículo del diario *La Prensa,* que afirmaba:

Ved el sistema que cae en México [...] ¡He ahí el ideal de gobierno fuerte recomendado a la República Argentina durante treinta años [...], sistema que lucha todavía para restaurar su imperio protestado constantemente por el pueblo [...]. ¡He ahí los frutos finales del sistema cuya eliminación fundamental en la política argentina corresponde a la presidencia y a las generaciones de patriotas de la actualidad![4]

Algo más tarde, en 1915, el diario seguía argumentando que eran "evidentes los puntos de contacto entre la situación mexicana y la nuestra", pero no todo estaba perdido, porque el Presidente tenía todavía la oportunidad de evitar la repetición del "más horrendo de los desgarramientos conocidos en tiempos modernos".[5]

¿Dónde encaja el peronismo en este panorama? Comenzamos, con Carlos Waisman, viendo que, al menos en la mente de su fundador, él debía ser un baluarte contra la subversión. Pero la mayor parte de quienes tenían que ser salvados no gustaban de la catadura de su inesperado protector, o no estaban dispuestos a pagar el precio requerido. Tanto es así, que el

[4] *La Prensa* 30/5/1911, citado en Pablo Yankelevich, *La diplomacia imaginaria: Argentina y la Revolución Mexicana 1910-1916,* México, Secretaría de Relaciones Exteriores, 1994, pág. 67.

[5] *La Prensa,* 15/8/1915, en Yankelevich, *Diplomacia,* págs. 134-135.

peronismo terminó siendo, ya desde el 17 de octubre de 1945, uno de los mayores antagonistas de las clases dominantes argentinas. Existe al respecto una explicación excesivamente simplista, que pondría como causa de todo la particular ceguera de los estancieros locales y de sus paniaguados, que no entendieron sus propios intereses y entraron en pánico sin necesidad. Pero esta teoría pinta demasiado oscuramente a la clase alta argentina, dándoles, en cambio, un demasiado fácil aprobado a sus equivalentes en otros países similares. Una interpretación más razonable es que la amenaza a las clases dominantes argentinas, durante la Segunda Guerra Mundial, era bastante real, y por lo tanto, su reacción ante el peronismo fue razonable. Bien se las puede perdonar por pensar que adherirse a las mismas fuerzas que se les oponían no era la mejor manera de defender sus intereses.

De manera que, independientemente de sus objetivos iniciales, el movimiento creado por Perón se convirtió con rapidez en el principal adversario del *Establishment,* aun cuando incluía a una minoría nada despreciable de las clases altas y sus instituciones guardianas. El incluir a esa minoría le daba una fuerza que no hubiera tenido en su ausencia, votos aparte; le daba un cierto viso de moderación, pero era obvio para todos que la minoría conservadora en el peronismo podría fácilmente perder el control del movimiento en circunstancias críticas, como la muerte del conductor. Además, la minoría derechista del partido no era necesariamente su componente más moderado, pues se trataba de gente muy insegura, en descenso social, o en todo caso incongruentes de *status,* de quienes lo peor podía esperarse, ya que, habiendo quedado *déclassées,* estarían dispuestos a saltar en el furgón de cola de una revolución social que les prometiera a ellos mayor *status* y poder, aun a costa de destruir el de sus antiguos pares.

La naturaleza *incompleta* del sistema político argentino actual

El sistema político argentino está sufriendo fuertes tensiones y, muy probablemente, se transformará de manera casi irreconocible dentro de los próximos años, y se volverá, en cambio, más parecido al europeo occidental o, para tomar un ejemplo más cercano, al chileno. Nuestro país ha tenido por mucho tiempo una fuerte organización de grupos *corporativos* (asociaciones empresariales, sindicales, profesionales, ruralistas, Iglesia, Fuerzas Armadas), como es habitual en los países más desarrollados del mundo, pero ha tenido un muy peculiar sistema de partidos. Éste muestra las siguientes diferencias con el modelo al que está destinado —en mi opinión— a acercarse:

1. La falta de una Derecha electoralmente fuerte, cosa que puede no ser muy correcto lamentar, pero que, de todos modos, contrasta con lo que pasa en la mayor parte de las democracias realmente existentes.

2. La continuada fortaleza de un partido de Centro, que se resiste a abandonar su independencia tanto de las organizaciones empresariales como de las sindicales.

3. La ausencia de una expresión socialdemócrata de las clases populares, reemplazada por un movimiento populista de sólidas bases gremiales.

El sindicalismo en la Argentina, durante los años treinta e inicios de los cuarenta, era muy similar al de Chile y Uruguay, países que comparten muchas de nuestras características. También seguía bastante de cerca las pautas europeas. Se diferenciaba, en cambio, de lo que ocurría en el resto de América Latina, donde la organización obrera dependía mucho del Estado, y había sido a menudo generada y estimulada desde las altas esferas, sobre todo en México y el Brasil.

Desde el acceso del peronismo, el movimiento sindical argentino ha cambiado, hasta diferenciarse muy nítidamente de los de Chile y Uruguay, que han mantenido muchas de sus tradicionales formas organizativas e ideológicas, aunque modernizadas. Entre nosotros se ha impuesto un tipo de liderazgo caudillista que genera grupos dirigentes mucho más alejados de las bases de lo que es corriente en países de estructura democrática. Es cierto que, ante los avances de la vida moderna, los gremios se han dado, en todas partes, una organización en alguna medida burocrática, pero hay límites para ello, y la característica asociacionista se mantiene, mientras que la violencia, con algunas marcadas excepciones —como los camioneros en los Estados Unidos— no es endémica en la lucha interna.

En la Argentina la proliferación de grupos violentos en el sindicalismo fue en parte una reacción ante la amenaza de infiltración de grupos rivales, a menudo apoyados por gobiernos autoritarios, empezando por la Revolución Libertadora. Pero con la consolidación de un Estado de Derecho, la posibilidad o legitimidad de seguir aplicando estos métodos no puede menos que esfumarse lentamente.

En el Brasil la transición de un liderazgo muy tradicionalmente manipulador y populista, el de los *pelegos,* a formas de izquierda más ligadas a las bases ha sido descripta en el capítulo anterior. ¿Es este proceso posible en la Argentina? Creo que sí, aunque con ciertas diferencias, pues, en el país vecino el varguismo nunca caló tan hondo en las clases populares como el peronismo entre nosotros. Esto se debe en buena medida a que el Brasil era a mediados de siglo mucho menos urbanizado y educado que la Argentina. Las masas rurales apenas se enteraban de lo que pasaba en el ámbito nacional, y cuando llegaban a las grandes ciudades, todo era nuevo para ellas. Es así que en ese país hay, en el ámbito popular, menos memoria histórica que en el Río de la Plata o Chile, y es más fácil cambiar de camiseta política o, directamente, probarse una nueva en un cuerpo que siempre estuvo desnudo. Además, la impresionante industrialización del Gran San Pablo ha generado una clase obrera nueva y altamente calificada, con enorme concentración, que le llevará algún tiempo a la Argentina emular, aunque según los índices per cápita nuestro desarrollo no es inferior al brasileño.

Si miramos ahora a la clase media, es preciso notar que, lejos de apoyar a algún partido conservador, con ese u otro nombre —que es lo que hace en casi todo el mundo desarrollado—, ella ha sido la base de la Unión Cívica Radical, que ostenta excelentes blasones de lucha democrática, pero pocos anclajes en intereses corporativos. Su fuerza electoral estaba bajando hasta colocarse casi en un cuarto del electorado, o aun menos (un 21% en la elección de Cámpora en 1973), hasta que la conducción de Raúl Alfonsín le dio nuevo vigor, atrayendo a un grupo nutrido de intelectuales y público de izquierda, cansado de sectarismo, y de vuelta de sus ilusiones sobre el peronismo revolucionario. Pero si contamos los votos, Alfonsín ganó la presidencia gracias a la Derecha, que prefería su variante centrista algo inclinada hacia la izquierda moderada, antes que la amenazante e imprevisible movilización popular justicialista. Sin embargo, a pesar de este apoyo, el alfonsinismo no fue lo suficientemente conservador como para convertirse en el representante de los intereses corporativos de las clases altas, y menos de la Iglesia o las Fuerzas Armadas. Por el otro lado, no tenía suficientes características de izquierda como para identificarse con los grupos opositores a las burocracias sindicales en cada gremio.

En 1989 la perspectiva de un triunfo electoral de Carlos Menem, cada vez más seguro por las encuestas de opinión, generó un verdadero pánico tanto en la Derecha como entre la intelectualidad, inquietas ambas, por diversas razones, ante un retorno de lo que parecía ser un peronismo fundamentalista. Tan así es, que se puede afirmar que la hiperinflación fue debida, no tanto a errores del plan económico —que pueden haber existido— ni a especulaciones puntuales —que en estos casos invitablemente se dan—, sino, más profundamente, al temor que atenaceó a todos los que tenían algo que perder. Era muy alta la perspectiva de una repetición del escenario Cámpora-Isabelita, o del de Allende en Chile, con diverso signo ideológico pero parecida conflictividad.

La reorientación adoptada por el presidente Menem y sus asesores contribuyó a pacificar al país, a pesar de sus resultados económicos, que sobre todo en ciertas coyunturas, impactaron sobre sectores humildes, tradicionalmente peronistas, de la población. Pero ante la posibilidad, realmente alta, de un escenario de lucha civil y eventual golpe, el *pacto a la argentina* contribuyó a consolidar el proceso democrático. Repetía, por otra parte, situaciones no del todo distintas vividas por el Socialismo español, o el francés, por no hablar de muchos regímenes del Este europeo. Pero tuvo además otros efectos, no esperados, sobre el esquema político partidario, que se harán sentir cada vez con mayor intensidad.

Las posibilidades de fragmentación partidaria

Extrañamente, la primera víctima de la nueva imagen dada por el peronismo —o el menemismo, si se quiere, pero el hecho es que el partido en su mayoría lo acompañó— fue la Unión Cívica Radical, que empezó a perder votos en elecciones provinciales y nacionales legislativas.

Ocurre que, ante el pacto de Menem con la Derecha política y económica, la *amenaza peronista* comenzó a desaparecer. En un inicio la opinión pública dudaba de la legitimidad de los cambios. Pero en la medida en que el tiempo pasaba y el presidente pagaba el precio de enajenarse de muchos militantes de su propio partido y a sectores de la CGT, el empresariado pudo respirar tranquilo. Sólo quedaba la nube de saber si, ante el grito de "¡traición!" tan ampliamente dado por los militantes, el gobierno quedaría pronto reducido a la nulidad en el campo electoral. Algo así le había ocurrido antes a otros en nuestra área, como al general Carlos Ibáñez en Chile en 1954, o aun al laborista Ramsay MacDonald en Inglaterra, que aplicó remedios "neoliberales" a la crisis del año treinta, y se quedó sin partido, y ennegrecido por la historiografía de sus antiguos correligionarios. Pero como se sabe, eso no ocurrió, pues el peronismo, en sucesivas elecciones, apenas si bajó del nivel del 50% al del 40%, lo mismo que le pasó a Felipe González en España.

Ante la disminución de los temores, no sólo entre la clase empresarial sino también entre la intelectualidad, cada uno en el campo tradicionalmente antiperonista pudo seguir su propio camino ideológico, sin tener que optar como antes por el mal menor, o sea la UCR. En otras palabras, los electorados de centro derecha y de centro izquierda, base de lo que el alfonsinismo había sumado al centrismo radical, quedaron liberados.

La persistencia de la fuerza electoral —y por lo tanto del apoyo social, organizado o no— del partido gobernante se consolidó con las elecciones presidenciales de 1995. En ellas ya no se podía decir que la prédica era opuesta a las acciones. El justicialismo se mantuvo con el mismo 50%, aproximadamente, que había conseguido en 1989. Ahora era, cierto es, un 50% distinto, porque al menos diez puntos porcentuales —los mismos que sin duda había perdido hacia la izquierda— los adquirió de una derecha que apenas podía creer que depositaba la cédula con el escudito patrio en la urna, y que sin duda lo hacía *à contrecoeur.*

Lo más novedoso en esa elección fue la fuerza del Frepaso, que alcanzó casi un tercio de la votación. Esto en parte se debió al pragmatismo de la alianza establecida con José Octavio Bordón y, en parte, al despecho de los radicales, que "no entendieron" el Pacto de Olivos. Es probable que el pacto haya sido bueno para el país, aunque fue malo, al menos en el corto plazo, para Alfonsín y para el Radicalismo. La decadencia del Radicalismo, como partido de centro, de todos modos es un fenómeno difícil de contrarrestar, y que tiende a reproducir lo ocurrido a sus pares chilenos y franceses (que casi han desaparecido del mapa) o antes al Partido Liberal inglés, independientemente de las estrategias de sus líderes. En cambio, en lo individual, Alfonsín tiene bastantes posibilidades de reemerger como un importante referente político, orientado cada vez más hacia la izquierda moderada. Lo cual, aunque sea bueno para esa Izquierda, y para quienes comparten sus valores, no será necesariamente bueno para la UCR, que seguirá viendo a su electorado tironeado en distintas y aun opuestas direcciones.

El éxito de Fernando de la Rúa, al ser electo para gobernar la Capital, aunque significó sin duda un respiro para el partido de Alem, no es, sin embargo, muy indicativo, por la característica muy peculiar de este distrito, que es más un conjunto de barrios de clase media que una ciudad, de la cual es sólo el núcleo, con menos de un tercio de su población. En cuanto a la Derecha, ella ha tenido buenos resultados electorales, sobre todo en sus variantes regionales pragmáticas, desde Neuquén a Salta, Jujuy, Chaco y San Juan, pero también en la versión tradicionalista de Corrientes, o la de Mendoza, o la de raíces autoritarias de Tucumán. La UCD, más visible en el ámbito nacional, ha sufrido por la resistencia de su electorado a convalidar el apoyo al menemismo, a pesar de que éste realiza prácticamente todas las plataformas del partido de Alsogaray. Pero no sería raro que estos diversos componentes de una futura Derecha política vayan coaligándose, una vez superada la mentalidad de *ghetto* en que la hegemonía del peronismo los ha mantenido por décadas.

En la Izquierda, una larga historia de sectarismo parece estar llegando a su fin. El Frente Grande fue una primera experiencia significativa, aunque en él convergieron muchos de los grupos responsables por el anterior empantanamiento. Sin embargo, pronto el liderazgo del "Chacho" Álvarez dio un golpe de timón, forzando a sus partidarios a disolver sus partidos, o sea, expulsó al Comunista, que con sus rigideces no contribuía a la imagen de moderación y convicción democrática que el nuevo agrupamiento adoptaba. Era necesario ir venciendo de a poco las viejas desconfianzas del electorado progresista ante la "democracia burguesa" o la "partidocracia".

Respecto de la ruptura con Bordón, ella se debió a un conjunto de factores que han sido interpretados de manera *complotística,* lo que dificulta su análisis. Bordón estuvo correcto en buscar alianzas con otros sectores que le permitieran seguir fabricando cuñas del palo peronista, pero se equivocó en el método con el que debía imponer esa estrategia a sus partidarios. Quizás Bordón quería desligarse de sus nuevos aliados, vistos como excesivamente izquierdistas, pero la verdad es que todavía es temprano para entender lo que pasó. La más reciente decisión del Frepaso de aliarse a la UCR es un hecho de más envergadura, que promete cambios para 1999, y que refleja bastante madurez política en los dirigentes de ambos partidos. Pero a esa Alianza le sigue faltando una "pata" genuinamente justicialista, difícil de tragar para muchos militantes de largo historial antiperonista.

Los componentes del peronismo

Antes de entrar en el tema del futuro del peronismo, es preciso hacer una radiografía de las partes que lo componen, y que pueden explotar bajo los efectos de la presente política económica. La experiencia comparativa muestra que, en Europa Occidental, los partidos socialdemócratas que adoptaron políticas *neoliberales* no han perdido mucho de su electorado, aunque la militancia y el número de sus afiliados se resienten. Grupos divisionistas, o nuevos partidos a su izquierda, se han robustecido, pero no constituyen una amenaza seria, en parte debido al descrédito en que han caído las utopías alternativas. ¿Pero es esta experiencia aplicable? ¿No es la situación económica argentina mucho peor que la que ha enfrentado Europa, aun durante sus períodos de crisis? ¿Y es acaso el peronismo el equivalente de la socialdemocracia?

Para comenzar por la situación económica, ella no es, por cierto, peor que la que enfrentaba Europa en la temprana posguerra. Por el otro lado, es cierto que los ajustes económicos en la Argentina han sido más improvisados, más llenos de *desprolijidades.* Pero tampoco hay que exagerar la prolijidad de los procesos económicos europeos, especialmente, en algunos países. Yo diría que en estos temas las diferencias son más de cantidad que de calidad, y por lo tanto la evidencia comparativa sigue siendo válida.

Más seria, sin embargo, es la diferencia entre el típico partido socialdemócrata y uno populista, como el peronismo. Las dos principales diferencias son la naturaleza del sindicalismo y la presencia de importantes aunque minoritarios sectores de la clase alta y media alta, y de las Fuerzas Armadas y la Iglesia. También importante, aunque en algún sentido deriva de lo anterior, es la ideología, que en gran medida es elaborada por los grupos recién mencionados, o sea las elites no obreras.

Tomemos, de todos modos, los diversos componentes en orden, para ver si existen en ellos tendencias al cambio.

1. El sindicalismo

De todas las variantes del populismo, es bien sabido que el peronismo está en una categoría especial, debido a la fuerte presencia del elemento sindical en él, mayor que en todos los demás casos conocidos. La forma de organización de estos sindicatos, de todos modos, difiere mucho de la de sus homólogos socialdemócratas. Esto se debe a la manera en que fueron creados, o radicalmente cambiados, al formarse el movimiento, o poco tiempo después, como resultado de la presión estatal. Es cierto, como dice Juan Carlos Torre, que algunos miembros de la *Vieja Guardia* sindical tuvieron un papel protagónico en la formación del Partido Laborista, pero creo que él exagera en lo que respecta a su peso relativo. De hecho, al poco tiempo de creado, el laborismo fue disuelto por orden de Perón, y la resistencia fue muy escasa. Es que la combinación de verticalismo y anuencia popular es justamente la característica del populismo en general, y del peronismo en particular. Y sólo ciertas condiciones sociales permiten generar esa peculiar combinación. Cuando ella se forma, perdura por bastante tiempo, a veces, aun cuando las condiciones que la hicieron nacer hayan cambiado. Pero a la larga, las nuevas condiciones se imponen. Y ésas exigen hoy día un tipo de organización gremial menos caudillista, sin por eso caer en la democracia interna total, con bases plenamente participativas, que no es de este mundo.

La Renovación peronista siempre tuvo influencia en el sindicalismo, aunque se vio obligada a entrar en compromisos con el liderazgo existente. Un gran paso atrás se dio cuando muchos sindicalistas, bien conectados con la Renovación, se plegaron al menemismo y apoyaron las nuevas políticas económicas. Hay que tener cuidado, sin embargo, de no confundir el apoyo al nuevo curso económico con el antiguo caudillismo. De hecho, cuando enseguida después de la asunción de Menem, la CGT se dividió (temporariamente), el grupo opositor, dirigido por Ubaldini, tenía tantos viejos jerarcas, empezando por Lorenzo Miguel, como sus rivales. La aceptación de las políticas de privatización y otras recetas de libre mercado no se deriva necesariamente del verticalismo, sino más bien de leer la sección internacional de los diarios, o, en su defecto, de charlar con quienes concurren a las numerosas reuniones internacionales de las que los dirigentes son participantes asiduos.

Creo que en este campo se van a dar algunas transformaciones importantes, en el sentido de adoptar pautas más asociacionistas, lo que implica que los líderes establecidos van a tener que tomar más en cuenta la opinión de las bases, y coexistir con sectores de diversa ideología. Ya ha habido bastantes cambios, sobre todo, en ámbitos locales, y esto obligará a desarrollar nuevas versiones de la ideología y la práctica justicialistas. La pérdida de seccionales y aun sindicatos enteros a grupos de oposición más militantes, peronistas o no, estimulará sin duda este proceso. En otras palabras, antes que morir, el peronismo se decidirá a crecer, pero esto implica la adopción de prácticas socialdemócratas, sea que se las reconozca por ese nombre o no.

2. Elites de alto *status*

La presencia en el peronismo de numerosos, aunque minoritarios, sectores reclutados en los estratos más altos de la sociedad es una de las características que lo diferencian de la socialdemocracia. No es que en ésta no existan individuos de ese origen, pero son menos numerosos, y un poco más autocríticos, menos enraizados en sus clases de origen. En el peronismo, este tipo de componente fue, en general, muy fuerte, sobre todo en su origen, aunque se vio debilitado por los episodios confrontacionistas. El actual aporte de dirigentes y votos conservadores es un fenómeno distinto, porque ellos no son realmente peronistas, sino que representan una alianza táctica, como la que hubo en España entre el Partido Socialista y la muy burguesa Convergencia i Unió de Cataluña.

Por otra parte, en niveles de baja clase media intelectualizada, el apoyo al peronismo es, en general, mucho menor que el que recibe la Social Democracia en los países donde ella predomina. En vez de abarcar esos sectores de clase media ilustrada, el peronismo está muy cargado con grupos de orientación culturalmente conservadora y católica, sobre todo en el interior del país.

El sector *alto* del peronismo, del cual deriva gran parte de su liderazgo puramente político, no siempre ha estado exento de cierta debilidad por el modelo fascista, sin duda en sus orígenes y aún ahora. De todos modos, hoy día se acerca más a la Democracia Cristiana, o a otras variantes socialcristianas, que a la Socialdemocracia. En general, se identifica con un modelo clásico de nacionalismo popular, nostálgico de los años dorados de Juan Domingo Perón, con su lucha antiimperialista y antioligárquica, poco preocupada por la "democracia formal". Sin embargo, también hay en el peronismo numerosos sectores, tanto en el ámbito político como en el sindical, que se ven a sí mismos como más a la izquierda, y que van descubriendo que la Socialdemocracia no es un mero invento del imperialismo.

Con esta composición tan heterogénea, no le va a ser fácil al movimiento mantenerse unido durante los próximos años, y resistir a las fuerzas centrífugas que, lógicamente, desata en su seno la presión de la economía. Un partido socialdemócrata —como el español—, que es comparativamente más homogéneo, y está basado en afiliados más acostumbrados al toma y daca del *asociacionismo,* tiene más posibilidades de mantenerse unido a pesar de la existencia de fuerzas contradictorias en su interior, y de presiones igualmente intensas generadas por el modelo económico. En el Peronismo, la principal fuerza que se opone a la división es el verticalismo, y la convicción de sus miembros de que su movimiento es consubstancial con la nacionalidad. Pero el tiempo no puede menos que erosionar esta creencia más bien primitiva, como lo ha hecho con otras, adoptadas con igual, si no mayor, fuerza, por los militantes de partidos populares en Europa y otras partes del mundo.

En la coyuntura actual, los sectores más conservadores y de clase alta del Peronismo y, desde ya, sus nuevos aliados, son capaces de entusiasmarse excesivamente con la tarea de *construir el capitalismo,* por más salvaje y dura que sea esa etapa. Aun cuando sea cierto que construir una base capitalista es un prerrequisito de cualquier otra reforma social en el país, cumplir ese objetivo intermedio no puede resultar gratificante para quienes se han pasado la vida bregando por una más justa distribución de los ingresos y una mayor autonomía nacional, bien o mal concebidas que esas metas estén en términos de las realidades del mundo de hoy. Un posible escenario, entonces, sería que la actual dirigencia se transformara en el núcleo de una nueva fuerza conservadora, por supuesto que no con ése, sino con otro nombre más atractivo. En ese caso, una división sería más que probable, aun cuando el ejercicio del poder por la facción más conservadora, sin duda, morigerará las tendencias separatistas de los demás.

3. Ideología

La cantera de las ideas peronistas es lo bastante rica como para proveer materiales para construir prácticamente cualquier otro credo político. En el pasado ya ha cambiado varias veces, y lo mismo puede volver a ocurrir. Su heterogeneidad intelectual es en parte debida a su contradictoria composición social, pero es también el legado de la capacidad de su fundador de integrar elementos diversos dentro de un todo eficaz. Esto, que no es simple pragmatismo, sino algo más, es una muy importante contribución que ciertos dirigentes peronistas pueden hacer a una futura Izquierda.

Uno de los principales componentes de la variada gama del corpus peronista es un reformismo pragmático pro sindicalista, muy parecido al *New Deal* de Roosevelt. Éste se mezcla con un caudillismo latinoamericano de tipo populista, con abundantes raíces en nuestra historia, desde las primeras décadas de vida independiente. Nuestros intelectuales, en general, no se han tomado muy en serio esa tradición popular nacional, salvo en el período de entusiasmo por las potencialidades revolucionarias del peronismo, en cuyo momento más bien la mitificaron. No vendría mal, después de pasada la borrachera del entusiasmo acrítico, una vuelta al estudio y el conocimiento de nuestras tradiciones, valorándolas al menos tanto como hacen los franceses con las suyas. Esto ayudará a ubicar al peronismo en coordenadas latinoamericanas, sin por eso dejar de tener en cuenta, por supuesto, sus vinculaciones y contrapartes en otros lugares del mundo.

Una excursión futurológica

El actual sistema de partidos en la Argentina será, muy probablemente, una víctima de la crisis económica. Ha cumplido ya su rol histórico, y tiene cada vez más dificultades en representar la nueva configuración de fuerzas sociales. Si esto es así, tendremos que enfrentar un período de disgregación y desorientación, que pondrá en peligro la solidez de la aún endeble democracia. Si conseguimos pasar a través de la etapa de tensiones, al final nos encontraremos con una estructura modernizada y rejuvenecida de partidos políticos.

¿Cómo sería esta nueva estructura? Creo que fue Bertrand Russell el que dijo que toda discusión científica es del tipo de una disquisición sobre qué habría ocurrido si la nariz de Cleopatra hubiera sido un par de centímetros más larga. Y esto no lo decía como crítica a esa dama, ni al uso de hipótesis *contrafácticas* —cuyo empleo en cambio estimulaba—, por absurdas que parecieran, a condición de no agarrarse demasiado a ellas. Con esta advertencia, adentrémonos en el túnel del tiempo.

Posiblemente el peronismo, aun perdiendo su mayoría absoluta en el Congreso, siga siendo por un tiempo el partido con mayor fuerza electoral en el país, con más de un tercio del total. Los Radicales quizás sufran una progresiva disminución de su caudal, tironeados por estrategias alternativas hacia la derecha o la izquierda. La actual Alianza con el Frepaso es un ejemplo de esta última estrategia, exitosa en las elecciones legislativas de 1997, aunque no es muy probable que ella convenza de manera persistente a todo el electorado radical, en gran medida ubicado un poco más a la derecha que sus líderes más visibles. En cuanto a la Izquierda, ella puede llegar a ser una seria alternativa, aliada o no a la UCR, siempre que esté dispuesta a reconsiderar a fondo sus dogmas y su etapa algo juvenil de Frente Grande. El ejemplo de los países vecinos debería convencerla de que el camino reformista es posible a pesar de tratarse de un país de la periferia.

En algún punto en este esquema puede producirse una división del peronismo. No puedo ni quiero predecir el momento, ni ligar esto a eventos y personalidades de la campaña presidencial para 1999. Más bien creo que este proceso de división es el resultado de que en la Argentina actúan fuerzas sociales similares a las que operan en otros países de parecido nivel de desarrollo, que generan una bipolaridad entre un sector inspirado por valores empresariales, y otro, por los de tipo sindicalista o igualitario.

Cierto es que, en contraposición a este enfoque, hay teorías bastante en boga, según las cuales la tendencia actual, en todo el mundo, es hacia el desdibujamiento de las líneas de clase como base del apoyo partidario. Como ya se dijo repetidamente en estas páginas, en realidad los partidos políticos nunca se han basado de manera nítida en las clases sociales y, sin duda, muchos individuos adoptan actitudes aparentemente incongruentes con su posición social, especialmente si ésta se mide usando el criterio de la educación, que es el más fácil de captar en las encuestas. Es así que la Derecha a menudo tiene simpatizantes de escasos recursos, y la Izquierda cuenta con gente de un más que decoroso pasar. Pero la diferencia entre un partido conservador y otro socialdemócrata no consiste única ni principalmente en la composición clasista de sus votantes, sino en el hecho de que los núcleos organizados de las clases enfrentadas en el proceso productivo están ubicados muy abrumadoramente de un lado o del otro de la línea divisoria.

Una coalición conservadora debería entonces emerger, basada en los varios partidos de centro derecha y de tipo provincial, y, por cierto, con un importante componente peronista, el cual, por el mero efecto de los números, desempeñaría un papel central en el nuevo agrupamiento. Este sector del Peronismo, entonces, se ajustaría a la descripción que ciertos observadores hacen de ese movimiento como que es la principal expresión de la Derecha en la Argentina, pero con una importante salvedad: se aplicaría sólo a una parte del conjunto. El principal costo, para el Peronismo oficial, de incorporar de esta manera a la Derecha y a buena parte del Centro sería perder el apoyo del sindicalismo.

Del lado opuesto, una coalición de izquierda podría también tener como base importante una fracción del mismo Peronismo, que apelara a sus tradiciones *nacionales y populares*. Ese grupo, con sindicalistas renovados, necesitaría aliados, y para encontrarlos, debería frecuentar a los ambientes de la Izquierda, en su versión Frepaso u otra, y aun del Radicalismo. La existencia de este hemisferio, entonces, corroboraría la afirmación de que el peronismo es un antecesor de la Socialdemocracia, pero, de nuevo, válido sólo para una parte del movimiento, y en alianza con otros importantes sectores.

En definitiva, creo que se puede establecer la siguiente secuencia, para el futuro mediato, digamos la próxima década:

1. En un primer momento se da un mantenimiento y ligero ajuste del presente sistema de partidos, con el lento crecimiento de una Izquierda independiente, un debilitamiento del partido Radical, y la consolidación de una Derecha electoralmente presentable. El peronismo continúa siendo dominante, aunque pierde algún apoyo. Los elementos autoritarios y conservadores en su seno sienten una creciente atracción hacia la derecha, donde encuentran muchas almas gemelas.

2. En una segunda etapa, el continuado deterioro, o muy lenta recuperación, del nivel de vida de amplios sectores populares produce una división dentro del peronismo, habiéndose agotado el crédito que los simpatizantes de un partido otorgan a su dirección, y que ésta puede usar para llevar a cabo políticas diferentes de las que su electorado esperaba de ella. La mayor parte del sindicalismo se transforma en opositora, pero el ala política ortodoxa o conservadora retiene el control del partido, sobre todo, en las provincias menos desarrolladas, beneficiándose del ejercicio del poder.

3. En un tercer momento, poco antes o poco después de 1999 (mi esfera de cristal no es demasiado precisa...), el sistema partidario muestra una gran fragmentación. Hay una fuerza conservadora considerable, con suficientes elementos autoritarios como para atraer a la Derecha peronista, pero no bastantes como para involucrarse en el golpismo. Éste es por otra parte innecesario debido a la falta de amenazas serias al sistema social dominante, y a la alta posibilidad de acceder al poder, o compartirlo, por vías legales. El Radicalismo se ve reducido a un grupo de poco peso y, como estrategia desesperada, adopta una orientación izquierdista, ejemplificada en su Alianza con el Frepaso, esperando ganar votos, pero de hecho enajenándose a su electorado moderado de clase media. El peronismo de derecha continúa existiendo como entidad considerable, apoyado en provincias del interior y en ambientes empresariales. El sector del Peronismo adversario del tronco oficial, quizás autocaracterizado como *progresista,* se convierte en un Centro-Izquierda pragmático, muy renovado y con anclaje sindical. La Izquierda independiente, con elementos emocionales e ideológicos aún bastante altos, aumenta su influencia organizativa y electoral, en estructuras como el Frepaso. La proliferación entre varios polos partidarios relativamente equilibrados hace que éste sea el momento más peligroso en la secuencia, suscitando el espectro de la ingobernabilidad, que puede afectar al sucesor de Menem, cualquiera sea él o ella. Por cierto que sería muy conveniente, en este momento, tener un sistema parlamentario, para que las coaliciones sean posibles y vistas como legítimas por la opinión pública. Aunque no es realista esperar que se instale un parlamentarismo completo, la versión intermedia que se adoptó en la reforma constitucional de 1994 puede ser útil, facilitando la *cohabitación* entre un presidente con menos poderes y un jefe de gabinete que realmente conduzca la gestión pública, y que emerja de un consenso en el Congreso.

4. Finalmente, si es que la Argentina algún día se adapta a la pauta europea occidental —lo que no es imposible, ya que hasta los del este lo

están haciendo—, eventualmente se impondría un sistema bipartidista, o de dos coaliciones. Ésto ocurriría si, por ejemplo, los conservadores se aliaran con los peronistas de derecha, mientras que del otro lado se fusionaran los peronistas renovados con los restos de la UCR y la Izquierda independiente nucleada en el Frepaso.

La aspiración de Perón de formar un partido del tipo del PRI mexicano tendría entonces una paradójica y póstuma realización. Su movimiento, al romperse o cambiar de manera profunda, proveería los elementos esenciales tanto para la Derecha como para la Izquierda, que en su cooperación antagónica pueden deesempeñar de manera mucho más eficaz la tarea de asegurar al mismo tiempo el progreso y la paz social, que tanto preocupaban al General.

A-Z editora ha dado término a la impresión de esta obra
en los talleres gráficos Leograf S.R.L., Rucci 410, Valentín Alsina,
provincia de Buenos Aires, República Argentina,
en el mes de octubre de 1998